"Vous jouez la comédie

"C'était pour mon père," protesta Vicky. Elle détourna le regard.

Richard sembla réprimer un commentaire; puis il lança: "Vous aviez donc l'intention de rester?"

"Je n'ai pas encore eu le temps de décider de mon avenir..."

Il ne remarqua pas l'émotion qui étranglait sa voix. "Pourquoi avez-vous entrepris de me dévoiler ces secrets après trois semaines de mutisme?"

Quel ton glacial!

"Je...je ne voulais pas me trouver enceinte d'un enfant de vous..."

Elle avait fait son aveu d'une voix défaillante, mais Vicky était stupéfaite de voir combien il avait pâli.

"Est-ce à dire que vous voulez mettre un terme à nos relations intimes?"

DANS HARLEQUIN ROMANTIQUE

Anne Hampson
est l'auteur de

DANS COLLECTION HARLEQUIN

Anne Hampson
est l'auteur de

Ces titres sont disponibles chez votre dépositaire.

La châtelaine de Whitethorn

par

ANNE HAMPSON

Harlequin Romantique

PARIS · MONTREAL · NEW YORK · TORONTO

Publié en janvier 1982

© 1981 Harlequin S.A. Traduit de *The Shadow Between,*
© 1977 Harlequin Enterprises B.V. Tous droits réservés. Sauf
pour des citations dans une critique, il est interdit de reproduire
ou d'utiliser cet ouvrage sous quelque forme que ce soit,
par des moyens mécaniques, électroniques ou autres, connus
présentement ou qui seraient inventés à l'avenir, y compris la
xérographie, la photocopie et l'enregistrement, de même que
les systèmes d'informatique, sans la permission écrite de
l'éditeur, Editions Harlequin, 225 Duncan Mill Road, Don Mills,
Ontario, Canada M3B 3K9.

ISBN 0-373-41091-3

Dépôt légal 1er trimestre 1982
Bibliothèque nationale du Québec et Bibliothèque nationale
du Canada.

Imprimé au Canada—Printed in Canada

Le visage de la jeune fille s'illumina d'un sourire à la vue de son père. Lui, au seuil de l'élégant salon, était absorbé dans la contemplation de sa ravissante et unique enfant.

— Quel charmant tableau ! Tu es la joie de mes vieux jours, ma chérie. Tu es devenue une femme accomplie, et je serais véritablement comblé si, par un mariage digne de toi, tu pouvais accéder à la noblesse.

Elle baissa la tête pour lui cacher l'amertume qui assombrit soudain son grand front intelligent. Pourquoi rêver ainsi ? Elle n'aurait jamais la chance de pouvoir réaliser la dernière ambition de ce père qui la chérissait tant. D'ailleurs, il ignorait son secret : son cœur était déjà pris.

— Si tu as fini ton travail, nous pourrions peut-être aller en ville ? J'ai quelques courses à faire, dit Vicky.

— Certainement, mon petit. Tu aurais pu prendre la voiture, tu sais.

Il sourit, tout en se rapprochant d'elle.

— Ton succès au permis de conduire a flatté ma vanité de père. Tu tiens de ton vieux papa, rien ne te résiste !

— Je suis ravie de l'avoir eu, mais je manque d'assurance et de pratique. En tout cas, je n'ai pas envie de conduire la Rolls. Père, j'aimerais bien avoir une petite voiture.

— Ma chérie, tu auras tout ce que tu désires. Je comprends ton appréhension, mais l'idée de te voir au volant de la Rolls me séduisait beaucoup. Tu sais combien ton vieux père est fier de toutes ces preuves de réussite.

Vicky ne l'ignorait pas ; elle s'en amusait même. Il se comportait comme un petit garçon devant un jouet nouveau. Toute sa vie, il avait travaillé dur pour réaliser son rêve d'adolescent : devenir un jour milliardaire. Ni son enfance misérable, ni son manque d'éducation ne l'avaient découragé.

Wallace Fraser ne s'était jamais consolé de la perte de sa charmante jeune femme, morte en donnant le jour à Vicky. Mais il adorait sa fille et lui avait offert les soins d'une nurse, tout en économisant péniblement l'argent nécessaire à la construction de sa future demeure. La fille d'un milliardaire devait recevoir une éducation irréprochable.

Sa première maison, la deuxième, puis la troisième, furent vendues avant même d'être achevées. Le nom de Wallace Fraser commençait à être connu ; son exigence de perfection se manifestait dans les moindres détails. Le succès, récompense inhérente aux efforts de toute une vie, ne se fit pas attendre. Mais c'est à cinquante-quatre ans seulement que son but fut atteint. Un an plus tard, alors que Vicky fêtait son dix-huitième anniversaire, il lui fit part de son désir le plus cher.

— Je suis un self-made man, « un diamant brut », lui avait-il dit. Ma petite fille, elle, a reçu une bonne éducation. Elle est maintenant une vraie femme du monde. Il me reste une seule ambition : la voir se marier et devenir la maîtresse d'un château. S'il se trouvait un titre de noblesse dans ta corbeille de mariage, tant mieux. Dans le cas contraire, je ne serais pas trop déçu, l'important pour moi étant que tu deviennes la femme d'un aristocrate.

— Père, protesta Vicky, cesse de rêver, je t'en prie. Je ne suis rien de tout cela, mais seulement ta fille. Voyons, les nobles ne se marient pas en dehors de leur milieu !

— Par les temps qui courent, ils ont besoin d'argent et j'en ai, moi ! Si besoin est, je donnerai une fortune pour ta dot !

Pointant l'index dans sa direction, il poursuivit :

— Regarde un peu combien de ces soi-disant riches sont forcés d'abandonner leurs somptueuses demeures ou de les céder aux Monuments Historiques pour une bouchée de pain. Un jour, Vicky, mon rêve se réalisera !

Elle soupira, se demandant comment le convaincre qu'elle se sentirait tout à fait déplacée dans un rôle de châtelaine. De toute façon, elle n'avait aucun désir de se conformer au choix de son père. Les mariages arrangés par les familles dataient d'une autre époque ! Elle garda ces réflexion pour elle, et dit simplement :

— Tes rêves se sont toujours concrétisés, je l'admets. Mais pour celui-là, c'est impossible.

En pensée, elle revoyait l'homme qui, presque un an auparavant, avait pris son cœur sans s'en douter. Il habitait tout près, de l'autre côté de la colline, dans le beau manoir de Whitethorn. Récemment, le bruit de fiançailles prochaines entre Richard Sherrand et Louisa Austin, une belle jeune fille dont la noblesse était aussi ancienne que la sienne, avait couru. Le père de Louisa avait cependant dû se résoudre à vendre une grande partie de ses terres du Shrophshirel, la fortune de la famille appartenant désormais au passé.

Les vastes espaces du domaine de Richard Sherrand se déployaient dans la vallée de Whitethorn, dans le Derbyshire. Là se trouvait également la maison de Wallace Fraser et de sa fille. Surplombant la rivière, elle occupait un site merveilleux, au milieu d'un parc de trois hectares par-delà lequel s'étendaient encore plusieurs enclos et une grande surface boisée. Vicky avait fait la preuve de son goût exquis en arrangeant un très bel intérieur, discret et raffiné, sans étalage superflu de leur immense richesse ; satisfaite de son œuvre, elle n'aspirait à rien d'autre que de continuer à partager cette maison avec son père pendant de nombreuses années à venir. Elle ne se marierait pas, s'était-elle dit, même en admettant l'idée raisonnable qu'elle puisse un jour, étant donné son jeune âge, arriver à oublier le très beau mais très austère maître du manoir de Whitethorn.

Pour le moment, cet homme troublait souvent ses pensées pendant ses longues rêveries. Elle se demandait ce que dirait son père ambitieux s'il se rendait compte de sa sottise. En fait, elle et Richard Sherrand ne s'étaient jamais véritablement rencontrés. Elle l'avait aperçu pour la première fois lors d'une promenade, quand elle était venue se familiariser avec le nouveau domaine où elle allait bientôt s'installer. Elle se reposait près de la rivière, fascinée par le jeu de la lumière sur une petite cascade, lorsqu'un bruit couvrant le murmure de l'eau attira son attention et lui fit lever la tête. A travers les arbres, elle vit un homme, grand, distingué, les cheveux bruns, le visage anguleux et bronzé, aristocratique. Elle se sentit troublée et crut d'abord à de la crainte, car, ayant franchi les limites du terrain paternel, elle s'était introduite dans une propriété privée. Elle avait trouvé tout naturel de se glisser sous la clôture, voulant voir de plus près cet endroit de la rivière. Richard Sherrand était le propriétaire du terrain où avait été construite leur demeure. Vicky n'en revenait pas de leur chance d'avoir fait cette acquisition.

Pas un seul instant la pensée ne l'avait effleurée que Richard Sherrand, fortuné apparemment, pût connaître de terribles difficultés financières. Pourtant, il avait été obligé de vendre une partie de ses terres.

Vicky eut l'occasion de revoir Richard lors d'une fête locale. Il s'agissait de réunir les fonds nécessaires à la construction d'un centre de sport dans la petite ville voisine de Wellsover. Mais là non plus il ne la remarqua pas. Pourquoi l'aurait-il fait, alors qu'elle était perdue dans la foule des visiteurs venus nombreux apporter leur soutien ? Louisa était à son bras et Vicky assura son père qu'elle n'avait de sa vie vu plus jolie femme.

— Moi si, lui répliqua-t-il immédiatement, en lui jetant un regard tendre. Absolument personne dans ces parages ne peut rivaliser avec toi, mon trésor ! Tu as les yeux de ta mère, doux et rieurs à la fois ; ses cheveux d'or roux lumineux, et son petit nez retroussé.

Une lueur joyeuse animait ses prunelles sombres, qui semblaient parfois disparaître derrière ses gros sourcils broussailleux. Il n'était pas beau, mais son adorable jeune femme l'avait aimé passionnément. L'amour qu'il aurait pu prodiguer à sa bien-aimée au long de ces années de lutte, il l'avait reporté sur sa fille. Pourtant, il avait veillé à ne jamais la gâter, conscient dans sa sagesse, qu'une trop grande indulgence rend les enfants égoïstes et leur attire l'inimitié de leur entourage. Le côté sévère de son éducation remplissait Vicky de respect envers son père, mais elle en avait gardé un manque de confiance en elle dont on pourrait plus tard abuser. Comme un jour on lui en faisait la remarque, Wallace avait répliqué avec son rude accent du Lancashire :

— Aucun danger tant que je suis là. Je donnerais ma vie pour protéger ma petite fille.

La troisième fois qu'elle vit Richard, le cœur de Vicky en fut ému. Elle éprouva alors une crainte bien réelle. Si elle se prenait à l'aimer, elle n'en retirerait que de la souffrance. Richard montait un superbe étalon et galopait dans une de ses prairies. Vicky cueillait des violettes à la lisière du bois ; elle voulait en décorer le bureau de son père à l'occasion de son anniversaire. Sa nature attachante se manifestait jusque dans ces petits détails.

Richard Sherrand s'arrêta, descendit de cheval et se dirigea nonchalamment vers le bois qui marquait la limite de ses terres. De sa cachette derrière les feuillages, Vicky remarqua que son front se plissait subitement. Quelque chose l'avait contrarié, mais quoi ? Il regrettait peut-être de s'être séparé d'une partie de son domaine. Vicky songea qu'elle n'aimerait pas vendre des terres si elle possédait une propriété aussi importante que celle du manoir de Whitethorn.

Richard semblait vraiment perdu dans ses pensées moroses, vivement irrité. Elle aurait souhaité se montrer et lui demander ce qu'il avait. Mais c'était impossible. En tout cas, ce n'était pas le genre d'homme que l'on pouvait approcher facilement. Il avait la réputation d'être hautain, de tenir de ses ancêtres sa fierté d'aristocrate.

Vicky, contrairement à son père, n'oubliait jamais ses origines. Sa grand-mère était une pauvre femme ; elle avait élevé ses neuf enfants dans une petite maison de quatre pièces où l'évier de pierre brune tenait lieu de salle de bains. Wallace ne reniait pas son milieu, mais il avait fait son chemin et son succès lui avait gagné le respect. Pour lui, seul l'argent comptait. La nurse, la gouvernante, puis les professeurs de Vicky l'avaient familiarisée avec les manières des gens dont son père voulait absolument qu'elle soit l'égale. Ses camarades d'école étaient souvent de meilleure condition, et elles le lui avaient fait sentir à maintes reprises, malgré la sympathie qu'elle inspirait. Pour Vicky, la barrière sociale demeurait une réalité.

— Mon petit... A quoi rêves-tu ?

La douce voix de Wallace interrompit ses songes et elle lui sourit.

— Père, je t'en prie, oublie tes idées folles. Non, je ne rêvais pas du Prince Charmant descendant de cette colline pour m'enlever sur son cheval.

Pendant un moment il resta silencieux, les yeux à demi fermés. Enfin il la regarda bien en face et lui lança presque agressivement :

— J'ai toujours satisfait les désirs chers à mon cœur ! Ce n'est pas maintenant que j'échouerai ! Ma dernière ambition est de te voir mariée dans la noblesse. Je veux un décor digne de ta beauté ; je te donnerai ce pour quoi tu es faite. La chance et le travail m'ont introduit dans un milieu où les hommes vivent dans des palais et lèguent leurs noms à des monuments publics. Quand tu étais petite, ma chérie, j'ai travaillé jusqu'à dix-huit heures par jour. Tout cela appartient au passé et je me borne désormais à transmettre mes ordres à mes administrateurs depuis ce bureau.

Il s'arrêta pour regarder Vicky mettre la dernière touche à son bouquet.

— Je veux voir ma fille mariée à quelqu'un d'important et faire partie des grands de ce pays ! Et il en sera ainsi !

Elle poussa un léger soupir, mais son visage resta empreint de douceur. Comme son père serait heureux d'un tel mariage ! Mais pourquoi n'admettait-il pas une fois pour toutes l'inconsistance de ses rêves ? Aucun jeune et bel aristocrate n'allait surgir du néant et lui déclarer sa flamme au premier regard !

Un instant, elle admira son bouquet, puis, rejoignant son père, elle glissa sa main dans la sienne et l'embrassa sur la joue.

— Je t'aime, dit-elle simplement. Tu es le père le plus merveilleux du monde !

— Et toi la fille la plus adorable. Peux-tu t'imaginer que je t'ai presque haïe durant les premiers jours qui ont suivi la mort de ta mère ? Je souhaitais que ce petit bébé pour lequel ma bien-aimée avait donné sa vie fût mort à sa place. Mais après l'enterrement, quand je t'ai vue pleurer, délaissée dans ton berceau, sans défense, j'ai eu honte ; soudain, j'ai su que je te donnerais tout ce qui serait revenu à ta chère maman.

Sa voix tremblait malgré le sourire forcé de ses lèvres. Vicky se retourna pour l'entourer de ses bras, et essuya doucement la grosse larme qui roulait sur sa joue. Quelle injustice pour lui d'avoir perdu sa femme moins d'un an après leur mariage ! A cette pensée son cœur se gonfla d'amour.

— Tu lui ressembles un peu plus chaque jour, continua-t-il. Elle avait ta silhouette frêle, ton teint délicat, tes lèvres généreuses aussi rouges que la rose que tu tenais tout à l'heure.

Son ton était bourru, mais l'expression de douleur avait disparu de son visage. Si seulement il voulait bien abandonner son rêve stupide, Vicky ferait tout pour son bonheur. Plus rien d'important ne pourrait ternir sa joie !

Un mois s'écoula, et Vicky commençait à redouter une allusion à un mariage avec une personnalité en vue. Elle s'ingéniait à détourner son père de ses projets insensés sans trop lui faire de peine. Elle lui expliqua qu'elle était parfaitement heureuse ici, avec lui ; elle était encore très jeune ; il se sentirait affreusement seul quand elle aurait quitté la maison. Rien n'y fit. C'était une idée fixe, mais en même temps, il n'avait pas le pouvoir de propulser Vicky dans le monde. Une ou deux fois, il réussit à obtenir une invitation pour un grand dîner, mais de toute évidence il n'était pas à sa place parmi ces gens qui l'ignoraient royalement. Vicky en souffrit pour lui et essaya encore une fois de lui faire entendre raison.

— Regarde ces belles jeunes filles aux noms nobles ;

ce seront elles les élues. Le milieu obscur dont je sors ne me laisse aucune chance.

— Qu'est-ce que le milieu vient faire là-dedans ? interrogea-t-il.

Il était bien facile à Vicky de l'amener à admettre que cela comptait énormément, étant donné l'importance qu'il y attachait.

— Autrement, tu ne t'inquiéterais pas tant de me voir réussir un beau mariage, non ?

— Ne cherche pas à m'embrouiller les idées, protesta-t-il, chagriné. Je sais ce que je veux, et je l'obtiendrai.

Quelques jours plus tard, Vicky partit en promenade sur la lande, le long des petits torrents limpides. Les pentes rocheuses baignaient dans la chaude lumière d'ambre du soleil printanier qui ourlait d'or les nuages.

Comme il faisait bon vivre ! Le vent fouettant son visage, Vicky marchait d'un pas alerte, relevant la tête, les yeux fixés sur le lointain des montagnes. Un bruit inattendu vint troubler le calme profond et la fit se retourner.

Richard Sherrand...

La tête baissée, il marchait au bord de l'eau. Sur la berge, Vicky attendit qu'il la dépassât. Mais il s'arrêta, clignant des yeux pour la détailler sans vergogne. Rien ne lui échappa : sa mince silhouette, vêtue d'une jupe plissée blanche et d'un pull à col roulé, son visage resplendissant de santé, ses cheveux d'or roux brillant au soleil. Elle le voyait de près pour la première fois et fut surprise de le trouver si impressionnant. Ses traits paraissaient gravés dans la pierre et lui donnaient un air impitoyable, presque cruel. Le nez aquilin, les lèvres trop fines, la mâchoire serrée et le menton résolu, jusqu'aux joues creusées sous les pommettes, tout contribuait à accentuer une austérité excessive ; une dureté émanait de tout son être. Elle le découvrait sous un jour différent, beau, mais moins qu'elle ne l'avait cru.

Vicky ressentit une certaine déception en remarquant que ses yeux avaient la couleur grise du granit, sous les épais cheveux balayés par le vent. Elle ne retrouvait pas les lèvres pleines et légèrement sensuelles, ni l'expression nonchalante qui l'avaient d'abord attirée, tandis que Louisa était à ses côtés. Il riait alors, et son regard semblait d'un bleu tendre et profond.

— Vous êtes Miss Fraser ?

Là encore, une inflexion âpre dans sa voix posée et distinguée surprit Vicky ; elle fit oui de la tête, incapable de proférer un son tant elle était dévorée de timidité.

— Votre père m'a acheté des terres.

Elle devina un soupir à sa bouche crispée qui témoignait d'une douleur morale plus que physique, probablement.

— C'est cela. Nous sommes enchantés de notre maison. Le cadre est absolument merveilleux, dit-elle pour le retenir un peu.

Elle aurait voulu effacer l'expression morose de son visage.

Richard Sherrand promena son regard sur la colline où leur demeure était construite.

— Vous avez là une très belle maison, dit-il, une pointe d'amertume dans la voix. Vous vivez seuls tous les deux, je crois ?

Elle releva la tête et lui sourit, consciente qu'il lui plaisait, en dépit de son air sévère. Un peu frissonnante et le cœur battant, elle répondit :

— Oui, ma mère est morte à ma naissance.

Il l'observa plus attentivement, comme si ses paroles avaient éveillé son intérêt.

— C'est très malheureux. C'est donc votre père qui vous a élevée ?

Elle hocha la tête, surprise qu'il lui parlât ainsi.

14

Il avait la réputation d'être snob, de se considérer bien au-dessus de ces nouveaux riches qui avaient depuis peu accès à une vie aisée, jusque-là l'apanage d'une poignée de privilégiés.

— Cela ne lui a pas été facile, avec tout son travail. J'ai d'abord eu une nurse, puis une gouvernante.

— Vous avez eu beaucoup de chance, remarqua-t-il.

— En effet. Ce n'est pas très courant dans notre milieu. Plus tard, bien sûr, je suis allée à l'école.

Vicky ressentait une joie immodérée. Converser aussi librement avec lui... Jamais elle n'avait pu l'imaginer, même dans ses rêves les plus fous !

— Et que faites-vous de vos journées ?

— Je m'occupe de la maison, répondit Vicky modestement. Nous avons des domestiques, naturellement, mais je préfère garder pour moi certaines tâches ; composer les menus, par exemple. J'aime essayer de nouveaux plats.

Le visage de Richard se détendit et l'ombre d'un sourire se dessina sur ses lèvres. Malgré tout, le ton de sa voix restait froid et distant.

— Vous dînez donc chez vous la plupart du temps ?

— Il nous arrive de sortir, mais père travaille encore énormément et après une longue journée dans son bureau, nos repas en tête à tête doivent lui apporter une détente appréciable.

Un moment passa.

— Je vous donne le bonjour, Miss Fraser. Rappelez-moi au bon souvenir de votre père.

— Je n'y manquerai pas. Au revoir, monsieur Sherrand, dit-elle doucement, presque tristement.

Croisant son regard, elle y lut une expression étrange.

— Au revoir.

Il s'éloigna le long de la rivière vers sa superbe demeure, un des plus beaux exemples d'architecture médiévale d'Angleterre. On en retrouvait des descriptions dans des écrits du XVIe siècle. Les imposantes murailles abritaient, disait-on dans la région, d'inestimables trésors : porcelaines et meubles anciens, tapisseries et tapis sans prix, pour ne pas parler de la collection d'armes qui décorait le grand hall, hallebardes, hâches, lances, épées, pistolets et armures exposées à côté de splendides vasques de fleurs.

De retour à la maison, le rouge aux joues et les yeux brillants, Vicky raconta à son père sa rencontre avec leur voisin.

— Il n'est pas aussi hautain que je me l'étais imaginé. Il a même bavardé avec moi.

— Et que t'a-t-il dit, mon enfant ?

Le regard de Wallace Fraser exprimait une curiosité hors de proportion avec l'événement.

— Il ne nous connaît pas et m'a simplement posé quelques questions.

Wallace laissa passer un moment avant d'expliquer :

— La vente du terrain s'est effectuée par l'intermédiaire d'une agence et de son notaire, évidemment. J'ai eu seulement deux entrevues avec lui. Son attitude arrogante au cours des transactions en dit long sur le peu d'importance qu'il accorde à mes richesses.

Wallace ne s'en offusquait pas pour autant.

— Ma fortune toute neuve doit lui sembler méprisable en comparaison de l'illustre héritage de ses ancêtres. Quant à moi, la différence m'échappe totalement.

Elle l'observait affectueusement pendant qu'il parlait. Le nœud de sa cravate avait glissé, la chemise était un peu froissée sous le veston ; son père aurait beau faire, porter d'autres vêtements, il n'aurait jamais l'allure d'un gentleman. Il le disait lui-même : un « diamant brut »... Mais elle l'aimait tendrement. Il avait un cœur d'or et sa course folle à la réussite n'avait pas amoindri sa générosité envers moins chanceux que lui.

— Les aristocrates ont probablement beaucoup de

mal à s'accoutumer aux changements dramatiques de notre société, murmura-t-elle après un instant. Vous n'avez pas été élevé dans le même monde ; ce ne serait pas juste de les juger, père.

— C'est vrai pour moi. Mais toi, mon trésor, tu es une « lady ».

— Je suis ta fille, l'interrompit-elle gentiment. C'est bien plus important pour moi que tout le reste.

Ces paroles causèrent à son père un plaisir intense.

— Tu es un amour... Parle-moi encore de notre voisin. Comment s'est-il comporté envers toi ?

— Il s'est montré d'une extrême courtoisie. Un peu réservé, mais la différence sociale est si grande entre nous...

— Cette distance n'a aucune raison d'être !

La colère aiguisait la voix de Wallace et ses yeux lançaient des éclairs.

— Mon enfant, tu es bien trop...

Il s'interrompit, contrarié. Il la pressa de continuer. Elle lui raconta mot pour mot leur conversation et il l'écouta attentivement. Vicky lui avait déjà vu cet air préoccupé et combattif lorsqu'il traitait de grosses affaires. Cependant, depuis qu'il avait décidé de profiter de la vie et de son argent, elle ne l'avait jamais vu dans un tel état.

Son père avait une idée derrière la tête. Mais laquelle ?

— Il aura été surpris, j'espère, de trouver autant de distinction chez la fille d'un homme aussi peu raffiné, à l'accent si rude.

— Père, le réprimanda Vicky, cesse donc de te sous-estimer. Ce genre de comparaisons ne présente aucun intérêt et ne doit même pas l'effleurer, ajouta-t-elle plus pour elle que pour son père.

L'idée que Richard Sherrand pût mépriser son père la révoltait. Elle voulait le croire au-dessus de telles bassesses.

— Que t'a-t-il dit d'autre, ma chérie ?

Vicky rapporta librement leurs propos, inconsciente de l'éclat de ses joues et de la mélancolie de son regard. Ses émotions n'avaient pourtant pas échappé à la perspicacité de son père.

— Il a tenu à se rappeler à ton bon souvenir.

— Vraiment ? Très attentionné de sa part, songea Wallace. Oui, vraiment.

— Qu'as-tu, aujourd'hui ? Tu as l'air tellement bizarre, le gronda-t-elle gentiment.

Il hocha la tête.

— Effectivement, je ne me suis jamais senti dans cet état ; l'occasion ne s'en était pas encore présentée, ajouta-t-il mystérieusement.

— Allons, pas de cachotteries. Dis-moi à quoi tu penses, lui dit-elle sévèrement.

Il confessa :

— Je parle tout seul. Tu devrais avoir l'habitude de mes radotages... J'ai un coup de fil à passer, annonça-t-il sur un ton détaché. Excuse-moi, veux-tu ? Va trouver la cuisinière, tu sais comment amadouer cette vieille grognon, et dis-lui de se surpasser pour ce soir ; nous aurons peut-être un invité... Sinon, eh bien nous nous régalerons tous les deux de toute façon.

Vicky n'eut même pas le temps de l'interroger sur l'identité de ce visiteur inattendu.

Le rire l'emporta sur la curiosité et l'étonnement. Son père ne changerait décidément jamais ! Agir promptement, telle était sa devise. De là dépendait le succès, soutenait-il. Mais Vicky ne voyait pas de quelles affaires il s'agissait cette fois-ci...

2

Vicky était satisfaite ; jamais la table de la salle à manger n'avait été si accueillante. Elle avait artistement disposé les fleurs et les chandeliers, plié les serviettes brodées. L'argenterie était d'époque, les verres de cristal taillés main, la porcelaine du XVIIIe siècle.

— Tes deux heures de travail ont porté leurs fruits, mon enfant. Cette table est un véritable chef-d'œuvre.

Wallace, venu voir où en étaient les préparatifs, passa un bras autour des épaules de Vicky. Le visage de celle-ci reflétait encore son étonnement :

— Je ne comprends vraiment pas pourquoi tu as invité M. Sherrand chez nous, père... Et encore moins comment il a pu accepter. Tu ne veux pas me dire ce que tu manigances, mais je suis sûre que tu as une affaire importante en vue.

Elle s'étonna de le voir éclater de rire.

— C'est une occasion de passer une soirée en société, ma chérie, commença-t-il.

Mais Vicky l'interrompit, lui jetant un regard scrutateur.

— Tu racontes des sottises, l'accusa-t-elle. M. Sherrand n'a pas l'habitude de rendre visite à des gens comme nous.

— Comment cela ?

Les lèvres de Wallace se pincèrent.

— Il n'y a rien dont tu puisses rougir, poursuivit-il. Pourquoi donc aurais-je commencé à te familiariser si jeune avec les riches et la noblesse ? Ta nourrice avait travaillé dans la haute bourgeoisie, ta gouvernante chez un comte ; à l'école, tes camarades appartenaient toutes à la haute société. Non, ma chérie, tu ne dois jamais te considérer inférieure à qui que ce soit, tu entends ? Richard Sherrand ne t'est en aucune sorte supérieur. Sais-tu que lui aussi pâtit de la crise économique actuelle ?

Pendant un moment, Vicky tenta de sonder l'esprit de son père. L'idée qu'il avait pu arrêter son choix sur Richard Sherrand l'effleura un instant. Mais elle abandonna vite cette éventualité : il était pratiquement fiancé à Louisa Austin.

— Notre hôte doit nous envier notre sécurité financière, dit Wallace. Mes revenus dépendent d'investissements industriels ; lui ne possède que ses terres. Le château doit lui coûter des sommes folles. Comme tant d'autres aristocrates, il a été obligé de réduire considérablement son train de vie. Autrefois, le manoir employait dix jardiniers ; il en reste deux aujourd'hui. Son père ne dirigeait pas moins de vingt-deux domestiques : bonnes, valets, un sommelier et un valet de chambre ; quatre seulement sont encore à son service. Eh bien, nous, nous en avons trois, plus trois jardiniers. Et nous pourrions faire mieux !

— Père, ne put s'empêcher d'interrompre Vicky, comment donc sais-tu tout cela ?

Elle crut le voir rougir soudainement. Wallace eut un geste vague.

— Les potins du village...

Elle prit un air soupçonneux.

— Tu ne les écoutes guère, pourtant.

Posant à nouveau son regard sur la table, il reprit :

— Tu t'es surpassée, ma chérie. C'est parfait.

Elle ne répondit rien. Richard Sherrand ici ! Condescendant à venir dîner chez eux ! Elle n'en revenait pas. Son père avait, évasivement d'abord, puis brusquement, éludé ses questions ; il refusait de lui livrer les raisons de cette invitation. Elle retourna aider Grace à la cuisine. Après un hors-d'œuvre de saumon fumé, elle avait prévu un caneton rôti. Le dessert était une des spécialités de Grace : des fraises meringuées, recouvertes de crème et de noix.

Il est temps que j'aille me préparer, maintenant, dit-elle à son père en le retrouvant dans le salon.

— Apporte un soin particulier à ta toilette, veux-tu ? Cette soirée n'est pas ordinaire. Nous avons un invité de marque, n'oublie pas !

Pour la première fois de sa vie, Wallace évitait le regard de sa fille. Vicky, de plus en plus perplexe, apprendrait bientôt, se disait-elle, au cours du repas sans doute, quelle affaire ils allaient traiter tous deux.

Elle prit un bain, et, sur des dessous délicats, revêtit une robe de tulle blanc brodée. Le décolleté, bordé d'un ruban argenté, étincelait d'étoiles diamantées. Un collier en argent ancien et des boucles d'oreilles assorties, très simples, vinrent compléter sa toilette. Elle opta aussi pour la sobriété dans la coiffure, préférant une frange à la mèche balayée qu'elle portait d'habitude. Satisfaite de son reflet dans la glace, elle ajouta une touche de rouge à ses lèvres, se parfuma, et glissa un mouchoir de fine dentelle dans le poignet resserré de sa robe.

Comment Richard la trouverait-elle ? Lui plairait-elle ? Se rappelant leur différence de classe sociale et l'éblouissante Louisa Austin, elle se moqua bien vite d'elle-même.

Wallace l'attendait dans le salon, très élégamment vêtu d'un smoking et d'une chemise à plastron immaculée. Vicky, comme chaque jour, se mit à contempler le paysage envahi par la pénombre du crépuscule : les arbres centenaires du domaine, les arbustes en fleurs dans le parc, les pelouses de velours, la serre cachée dans la charmille, la piscine… La main de l'homme avait dompté la nature, et l'avait façonnée en un paysage superbe. Vicky soupira de plaisir. Quelle chance elle avait de vivre dans un si charmant décor, au cœur du domaine de l'un des descendants de Guillaume le Conquérant !

— Laisse-moi te regarder !

Wallace posa la main sur l'épaule de sa fille, effleurant du bout des doigts les boucles d'oreilles et le collier.

— Cette parure appartenait à ta mère, murmura-t-il. Je la lui avais offerte comme cadeau de mariage…

Les yeux humides, il était perdu dans un lointain passé, auprès de sa femme disparue alors qu'elle était à peine plus âgée que Vicky aujourd'hui. Les yeux de la jeune fille s'embuèrent à leur tour.

— C'est pour cette raison que je les porte ce soir. Je ne mets les bijoux de ma mère qu'en des occasions exceptionnelles, tu le sais.

Wallace recula un peu pour mieux contempler la frêle silhouette vêtue de blanc ; il approuva de la tête.

— Tu as bien fait. Rien ne pouvait mieux convenir à la situation.

Vicky ne fit aucun commentaire. Ce n'était pas le moment de poser des questions, de s'immiscer dans les souvenirs qui submergeaient son père.

La sonnette le rappela à la réalité. Un coup d'œil circulaire l'assura à nouveau que tout était parfait. Une bonne alla ouvrir. Wallace accueillit son hôte dans l'entrée. Vicky entendit les deux hommes se saluer, et remarqua la voix posée, distinguée de Richard Sherrand. Elle était tendue, partagée entre le plaisir de le voir, et la crainte que cette soirée ne soit une corvée. Les yeux brillants, les lèvres frémissantes, elle songeait qu'elle allait passer plusieurs heures en compagnie de Richard. A ce moment-là, il entra dans la pièce, la surprenant dans cette attitude rêveuse, incroyablement séduisante.

— Bonsoir, dit-il de sa voix distinguée. Nous ne pensions pas nous revoir si rapidement, Miss Fraser.

— Bonsoir, murmura-t-elle. Asseyez-vous, je vous en prie.

Son père l'observait. Elle devait se montrer à la hauteur de la situation. C'était le moment de mettre en pratique son savoir-vivre. Richard prit le siège que Vicky lui indiquait et Wallace lui offrit à boire. Ses yeux gris s'attardèrent longuement sur les traits délicats, puis sur la courbe gracieuse du cou de son hôtesse. Elle baissa les paupières, gênée par ce regard insistant. Elle aurait voulu dire quelque chose pour adoucir l'austérité teintée de lassitude qui durcissait ce beau visage.

Les deux hommes bavardaient avec une certaine réserve. Avaient-ils décidé de ne pas aborder devant elle l'objet de leur rencontre ? Vicky se contentait d'écouter. Confortablement assise, elle buvait à petites gorgées, tout en observant les expressions changeantes du visage de Richard.

— En effet, disait-il à ce moment précis, le mot « vénérable » me semble tout à fait approprié à la description du manoir. En tout cas, tous les guides l'emploient.

— Comme ce doit être agréable de vivre dans une demeure si ancienne, transmise de père en fils depuis des siècles.

— Avec l'habitude, on n'y prête plus grande attention.

— Tout de même, insista Wallace, vous devez ressentir une certaine fierté. Ne possédez-vous pas, entre autres trésors, l'armure qu'un de vos ancêtres portait à la bataille de Rowton Moor ?

Richard eut un sourire amer.

— Oui.

— Il faut espérer que vous conserviez longtemps ces richesses. Ce qui se passe de nos jours est réellement tragique. Tant de biens précieux comme les vôtres sont vendus à des collectionneurs étrangers. Nous sommes en train de dilapider notre patrimoine national.

Vicky trouva cette dernière remarque peu délicate. Une ombre douloureuse passa sur le visage de leur invité. A plusieurs reprises, son père lui avait signalé les difficultés des riches propriétaires dont Richard faisait partie. Mais elle avait du mal à s'imaginer qu'un domaine comme Whitethorn pût un jour être mis aux enchères : il couvrait plus de cinq cents hectares, et Richard possédait en outre trois villages et cinquante fermes dans le comté. Pourtant, il confirma les dires de Wallace : il subsistait effectivement très peu de propriétés de cette importance. Et brusquement, il s'arrêta, jugeant déshonorant, sans doute, de discuter de ses problèmes avec Wallace Fraser.

Il leva son verre et regarda la douce lumière se refléter dans le liquide ambré. Vicky ne pouvait détacher les yeux de son profil au menton et à la bouche si virils, au nez aquilin et au front large sous les cheveux brillants. A la pensée de Louisa Austin, un soupir lui échappa. Cette jeune fille avait beaucoup de chance. Vicky l'espérait digne de l'amour du beau et riche propriétaire du manoir. Et si Louisa ne méritait pas ce bonheur inouï ? Son père remarqua sa pâleur subite.

— Tout va bien, ma chérie ? Tu n'as pas l'air très en forme.

Chassant ses pensées extravagantes, elle sourit aussitôt.

— Mais si. Je vais voir où en est le dîner. Excusez-moi un instant, ajouta-t-elle gracieusement en se tournant vers Richard, et elle quitta la pièce.

A peine était-elle sortie qu'elle surprit dans le ton de son père une brusquerie inhabituelle.

— Eh bien, je pense avoir fait suffisamment d'allusions... Si vous vous habituez à cette idée, nul besoin de paroles précipitées pour l'instant...

Vicky n'en entendit pas davantage. Son père avait un projet, et elle se sentait frustrée de n'en rien savoir. Son attitude était pour le moins déconcertante. Jamais, jusqu'à présent, il ne s'était montré aussi évasif avec elle. Au contraire, il aimait lui faire part de ses desseins.

A table, la bonne apporta le premier plat, et Richard sembla apprécier la qualité du service. Wallace rayonnait de plaisir.

— J'ai de la chance avec mes domestiques, n'est-ce pas ? C'est tellement rare de nos jours. Bien sûr, il ne faut pas hésiter à payer... Là est le secret...

Wallace but une gorgée de vin. En reposant son verre, il effleura une des orchidées placée par Vicky à côté de chaque couvert. Il devait ces merveilles à un de leurs jardiniers qui avait fait des plants d'Extrême-Orient.

Richard ne releva pas les paroles de Wallace. Il semblait apprécier la bonne chère, mais Vicky eut la conviction qu'il commençait à s'ennuyer. Elle trouvait son père maladroit de parler des gages des domestiques. Mais Richard serait compréhensif, espérait-elle. Il avait reçu dans son berceau une immense fortune ; Wallace avait gagné la sienne à la sueur de son front... Sa vie n'avait guère été facile, son invité le devinait certainement.

A la fin du repas, Richard remercia poliment ses hôtes, complimenta même Wallace sur les talents culinaires de sa fille. Naturellement, le père de Vicky jubilait.

— Content que cela vous ait plu, dit Wallace. Nous prendrons le café et les liqueurs dans le salon.

Vicky se demanda comment Richard trouvait cette pièce. Le style moderne y prédominait ; avec son sens de l'équilibre et ses talents de décoratrice, elle avait créé un ensemble particulièrement réussi. Les appliques et les lustres étaient d'anciens candélabres. Dans des chandeliers d'argent, des bougies entourées de verres colorés jetaient des lueurs féeriques, roses et ambrées. Elle avait prodigué autant de soins à l'aménagement des autres pièces de la maison. Sa chambre, aux boiseries satinées, offrait une harmonie de blanc et de corail. Dans celle de son père, le pourpre dominait ; la moquette et les tentures lilas adoucissaient l'ensemble. Il avait un peu protesté, d'ailleurs ; il aurait préféré une tapisserie beige, plus neutre.

— Ce n'est pas une chambre pour moi, s'était-il écrié. Le pourpre est une couleur royale. Je ne suis qu'un chiffonnier !

Mais il avait admiré le résultat, et les splendides broderies du couvre-lit mauve.

Elle avait ri joyeusement et l'avait cajolé :

— Allons, tu es le meilleur architecte d'Angleterre ! Le roi des constructeurs ! Le pourpre te sied à merveille. Tu t'y feras très bien, tu verras.

A présent, tout en essayant de deviner l'impression produite sur Richard, elle ne pouvait s'empêcher d'être fière de sa réussite. On ne saurait guère approcher davantage de la perfection, songeait-elle. A l'extérieur, les jardiniers s'étaient mis au travail sitôt les plans conçus, et le parc avait été prêt en même temps que la maison.

Richard semblait sensible à l'atmosphère exquise de la pièce. Il lui sourit, et aussitôt le bonheur de Vicky fut à son comble.

— Quelle agréable soirée j'ai passée, ajouta-t-il. Tout est si paisible ici. Je ne m'étonnerai plus, Miss Fraser, que vous soyez si heureuse avec votre père.

— Nous vous le devons un peu, lui rappela Wallace

généreusement. Vous avez accepté de nous vendre le terrain.

— L'idée de vendre m'a longtemps préoccupé, vous savez, et je ne me suis pas décidé tout de suite. Vous êtes les premiers à avoir eu l'autorisation de construire sur ces terres.

N'y avait-il pas dans ces propos une pointe d'amertume ? Et pourquoi les « premiers » ? Avait-il l'intention de céder à d'autres acheteurs ?

La soirée se termina trop rapidement au gré de Vicky. Plusieurs fois encore, leur invité lui avait souri. Au moment de prendre congé, elle l'entendit dire :

— Il faudra que vous veniez dîner tous les deux au manoir. Je vous téléphonerai, et nous conviendrons d'une date.

Sitôt la porte refermée, Wallace se frotta les mains.

— Eh bien, eh bien ! Quel succès ! Dis-moi, ma chérie, que penses-tu de notre nouvel ami ?

— Il ne l'est pas encore ; je ne sais même pas s'il le deviendra vraiment, dit-elle pour le mettre en garde. Mais quelle surprise d'être invités au château !

— Il te plaît ? redemanda son père.

— Oui.

Elle détourna les yeux, se sentant rougir. Wallace la fixait, attendant qu'elle redressât la tête. Elle se décida enfin à lui accorder un sourire timide.

Elle allait chérir tous les instants de cette heureuse soirée, et n'oublierait jamais l'amabilité charmante dont Richard avait fait preuve à son égard. Elle s'était montrée parfaite dans son rôle d'hôtesse, impeccable dans sa tenue ; pas la moindre fausse note dans ses paroles ou ses gestes. Richard avait dû être favorablement impressionné, mais jusqu'à quel point ?

Trois jours seulement s'écoulèrent avant le coup de téléphone de Richard. Il les invitait pour le lendemain soir. Wallace insista pour qu'elle s'achetât une robe à cette occasion.

— Mais j'ai des dizaines de robes ! protesta-t-elle.

— C'est un événement important, ma chérie.

Vicky capitula. Ils firent à Sheffield l'acquisition d'une robe en soie de Chine ; elle fut épouvantée par son prix exorbitant. C'était un modèle de rêve, aux tons délicats de vert et d'orangé, rehaussée de broderies d'argent.

Son père lui offrit également des chaussures et une pochette de cuir assorties. Sur ses conseils, elle profita de leur sortie pour aller chez le coiffeur.

Toute la journée du lendemain, Vicky se sentit nerveuse. Elle était folle de se mettre dans un tel état d'excitation, se dit-elle quand vint le moment de partir.

— Comment te sens-tu, ma chérie ? lui demanda Wallace dans la voiture. Tu te rends compte ? Nous sommes enfin acceptés par l'aristocratie !

— Par M. Sherrand seulement, rectifia-t-elle.

— Tu seras bientôt une grande dame admirée par toute la noblesse, affirma-t-il, une nuance de défi dans la voix. Ils te respecteront, t'admettront enfin dans leur milieu !

Elle hocha la tête en soupirant.

— Tu n'as pas l'air de comprendre, père. Je suis parfaitement heureuse comme je suis.

— Impossible ! Une femme ne peut réellement connaître le bonheur avant d'épouser l'homme qu'elle aime.

— Peut-être ce jour viendra-t-il, lui dit-elle doucement.

Elle songeait à Richard, et à l'amour sans espoir qui l'avait assaillie malgré elle.

— En attendant, père, je possède tout ce qu'une jeune fille peut souhaiter.

— Non, une jeune fille doit désirer un mari, et avoir envie de fonder une famille avec lui.

— Et toi, que deviendras-tu ? lui demanda-t-elle

comme il arrêtait la voiture sous les lumières du perron.

— Je ne serai jamais loin, n'aie crainte.

Vicky ne répondit pas. Richard leur ouvrit lui-même, et apparut en habit de soirée, grand, distingué. Il sourit à Vicky avant même de saluer son père. Le cœur de la jeune fille battait la chamade, et elle resta muette un instant, incapable de lui rendre son bonjour.

Les murs de la salle à manger du manoir étaient tendus de tapisseries. Des toiles de maîtres y étaient accrochées. Des rideaux de velours bleu galonnés d'or ornaient les immenses fenêtres ; deux vases étrusques encadraient la cheminée de marbre, surmontée du blason des Sherrand. Sur une table Boulle, trônaient des soupières en argent, ainsi que des plats en porcelaine, pour le service. Le valet, imperturbable, était bien différent de leur bonne souriante ! Vicky admirait sans réserve les vases, les bronzes, les bustes en marbre, les émaux de Limoges, et bien d'autres pièces anciennes dont les lieux regorgeaient.

Richard observait Vicky d'un air étrange. Une pensée déplaisante dut lui traverser l'esprit l'espace de quelques secondes, car son visage s'attrista soudain. Le reste du temps, il se montra un hôte charmant et attentif.

La jeune fille ne participa guère à la conversation des deux hommes pendant le repas. Elle laissa libre cours à ses rêveries, s'interrogeant sur l'enfance et la jeunesse de Richard. Des bribes d'informations lui étaient venues des domestiques. Richard avait quitté le manoir peu après le remariage de son père : il ne s'entendait pas avec sa belle-mère. M. Sherrand senior dut par la suite se séparer de sa seconde femme tant elle était dépensière ; les disputes entre eux étaient nombreuses, et il avait été obligé de verser à son épouse une grosse pension pour lui faire quitter le manoir. A la mort de son père, deux ans auparavant, Richard était revenu, et avait repris en main la direction du domaine, négligé en son absence à cause de la santé déficiente de son père.

— Miss Fraser, vous ne mangez pas votre poisson ? Il n'est pas à votre goût ?

La voix de Richard interrompit sa rêverie. Elle lui sourit.

— Mais si, affirma-t-elle, c'est délicieux.

— Bien. Je vous demande pardon de ma négligence. Votre père et moi étions absorbés par des problèmes qui apparemment ne vous passionnent guère.

— Ne vous inquiétez pas, répliqua Vicky. J'étais perdue dans mes pensées.

— Mais c'est mon devoir, dit-il courtoisement. Changeons de sujet de conversation.

Il jeta un coup d'œil à Wallace, qui approuva de la tête.

— Dites-moi ce que vous pensez du manoir, Miss Fraser. Vous en connaissez seulement une petite partie, bien sûr. Mais je vous ferai faire le tour du propriétaire, un après-midi.

Le cœur battant, elle le regarda avec étonnement. Elle lut dans ses yeux bien autre chose qu'un sentiment purement amical.

A nouveau, il lui demanda son avis sur le château. Elle bredouilla timidement :

— Il... il est magnifique, monsieur Sherrand. Vos... vos antiquités sont inestimables, sans doute.

— Pas tout à fait, répliqua-t-il, amusé. La plupart d'entre elles ont une histoire que je vous raconterai un jour.

Un jour... Qu'est-ce que tout cela voulait dire ? Pourquoi voulait-il lui faire visiter son domaine ? Un instant, Vicky crut qu'il s'intéressait à elle, mais l'image de Louisa Austin la ramena à la réalité, et lui barra la route du bonheur.

Non, Richard avait tout simplement décidé d'abandonner cet air hautain et distant qui n'était plus de mise désormais. Pourtant, tout au long de la soirée, devant tant de sourires et d'attentions, elle avait espéré une autre explication à sa bienveillance. Se trompait-elle ?

3

Vicky et Richard étaient mariés depuis quinze jours, maintenant. Wallace Fraser se réjouissait de voir sa fille aussi épanouie dans sa nouvelle vie.

— Ma chérie, le mariage t'a transformée, remarqua-t-il un jour. Tu es encore plus belle qu'avant !
Elle eut un rire joyeux, presque enfantin.

— Tu avais raison, père ! Je suis follement heureuse ! Nous nous aimons tellement… Parfois, j'ai peur qu'un si grand bonheur ne dure pas.

— Mais dis-moi, mon petit, depuis combien de temps étais-tu amoureuse de Richard ?

— Tu avais deviné ? Tout de même, je parierais que tu n'avais pas compris dès le début, le défia-t-elle, espiègle.

— Ma chérie, nous avons vécu très longtemps côte à côte. Je pourrais lire dans tes pensées, tu sais. Ce fut le coup de foudre, n'est-ce pas ?

— Oui. Enfin, presque, corrigea-t-elle après un instant de réflexion.

— C'est incroyable ! Exactement comme ta mère !

— A l'époque, je n'aurais jamais pensé que cet amour pût être réciproque. Tu te rappelles ? Il sortait beaucoup avec cette fille, Louisa Austin.

Etrangement alors, son père évita son regard et dit :

— Elle n'a pas compté dans sa vie. C'était un simple flirt. Ne te tourmente pas, mon petit. Richard ne s'en soucie plus le moins du monde.

Le sourire de Vicky s'évanouit. Elle n'aurait pu expliquer la nature de ce nuage apparu à l'horizon resplendissant de sa vie. Le ton de son père lui remettait en mémoire certains moments difficiles de leur vie, quand Wallace avait senti des menaces peser sur ses projets.

— Je dois partir, lança-t-elle après un coup d'œil à la pendule. Richard a horreur que l'on soit en retard.

— Plutôt strict, n'est-ce pas ?

— Oui, mais j'aime mieux cela ! plaisanta-t-elle.

— Tant que cela te plaît, c'est bien. Mais ne te laisse surtout pas dominer. De toute façon, si une chose pareille devait se produire, il aurait affaire à moi !

A nouveau, cette réflexion fit perdre à Vicky un peu de son entrain. Le ton et les manières mystérieuses de son père la déconcertaient. Elle, en tout cas, ne lisait pas dans ses pensées !

— Il m'aime tellement ! C'est moi qu'il a choisie entre toutes ; pourquoi changerait-il d'attitude à mon égard ?

— Tu valais toutes les plus belles jeunes filles des familles les plus fortunées, je te l'avais bien dit ! Te voilà maintenant confortablement installée aux côtés d'un homme important. Une vie merveilleuse s'ouvre à toi.

— Finalement, tout s'est déroulé exactement comme tu l'espérais, n'est-ce pas ?

— Absolument, ma chérie.

— Quand je pense à tes ruses innombrables pour me faire rencontrer des jeunes gens ! Et c'est arrivé de façon si naturelle !...

Elle l'embrassa.

— Nous te voyons ce soir ?

— Oui, mais, Vicky...

Surprise par le ton de sa voix, elle se recula légèrement.

— Je ne voudrais surtout pas m'imposer. Richard et toi pouvez avoir envie de rester seuls. Et puis, je suis un peu fruste, et le manoir...

Il n'alla pas plus loin. Le grondant d'un air sévère, Vicky assura à son père qu'il serait toujours le bienvenu au château.

— Richard t'estime énormément, ajouta-t-elle. Il parle de toi avec une admiration sans borne. Ton sens des affaires le fascine; il aimerait pouvoir gagner de l'argent aussi facilement. A vrai dire, je ne vois pas très bien pourquoi : il possède tout ce dont on peut rêver.

Wallace accompagna sa fille jusqu'au portail.

— C'est un grand bonheur pour moi de te savoir si près, lui dit-il.

— Je ne serais jamais partie loin de toi.

— Allons, tu aurais quand même été obligée de suivre ton mari !

— Pour rien au monde je ne me serais résignée à te quitter, Père. Mais les choses sont parfaites ainsi.

— Oui, mon trésor.

Il l'embrassa sur la joue, et la regarda s'éloigner avant de regagner sa maison d'un pas alerte.

Il était une heure moins cinq quand Vicky arriva. Richard l'attendait déjà. La jeune femme lui adressa un tendre sourire, et, se haussant sur la pointe des pieds, l'embrassa légèrement sur les lèvres. Un peu déçue de ne pas sentir les mains de son mari se poser autour de sa taille comme d'habitude, elle courut se changer. Elle occupait la chambre bleue, aux murs tendus de soie damassée, rehaussée de motifs de fleurs, d'oiseaux et de feuillages. Vicky avait eu du mal à s'habituer à ce décor chargé. Maintenant, elle l'adorait; son mari venait l'y retrouver chaque nuit pour partager avec elle le grand lit à baldaquin aux retombées de délicat satin bleu.

Elle choisit une robe d'été vert pomme, au corsage à bretelles.

— Comment me trouvez-vous ? demanda-t-elle en descendant l'escalier.

Richard venait de reposer le récepteur du téléphone. Il restait là, le visage soucieux, un pli amer aux coins des lèvres.

— Quelque chose ne va pas ? Une mauvaise nouvelle ? interrogea Vicky, les yeux agrandis par l'inquiétude.

— Non. Vous ne comprendriez pas, Vicky...

Elle mit sa main dans la sienne, et sentit la douce pression familière de ses doigts.

— Je dois sortir cet après-midi, lui annonça-t-il pendant le repas. Il nous faudra remettre à une autre fois notre promenade en ville, j'en ai peur.

— Oh !... Je ne peux pas vous accompagner ?

— Non, ma chérie.

Une vague de déception l'envahit.

— Il s'agit de vos affaires ? s'enquit-elle, songeant au coup de téléphone.

— Pas précisément, répondit-il après un instant d'hésitation. Ce problème me concerne personnellement, je dois y aller seul.

La curiosité de Vicky était éveillée, mais son mari n'était visiblement pas d'humeur à répondre à ses questions. Il avait un air absent et préoccupé.

— Je n'ai plus faim, dit-elle, reposant son couvert.

Accompagnant ses paroles d'un regard dur, il lui commanda plutôt brusquement de terminer son repas. Blessée par la sécheresse de sa voix, elle obéit, la gorge serrée. Quelles obscures raisons l'empêchaient de lui faire part de ses soucis ? Elle aurait peut-être pu le réconforter...

La fin du déjeuner arriva, à son grand soulagement. Quand la voiture s'éloigna, elle se sentait si triste qu'elle en aurait pleuré.

Elle s'assit sous un arbre, dans le parc, et se mit à songer aux récents événements de sa vie. Tout s'était passé très vite, jusqu'à ce jour merveilleux où, vêtue de blanc, elle était devenue la femme de Richard Sherrand.

Quand Richard lui avait fait visiter sa demeure, il avait un peu parlé de lui. Elle avait deviné beaucoup de choses : lui et la deuxième femme de son père étaient des ennemis jurés. C'était une alcoolique et une joueuse invétérée. De plus, elle menait grand train de vie, grâce à une pension qui devait constituer une part énorme des revenus du domaine. D'après Wallace, les tribunaux lui donneraient gain de cause si elle essayait encore de soutirer de l'argent à Richard. Vicky s'était souvent demandé comment son père était au courant des affaires personnelles de Richard.

Après leur premier après-midi ensemble, Vicky et Richard ne s'étaient plus quittés. Un soir, après dîner, Wallace les avaient laissés se promener seuls tous les deux. Dans la douceur embaumée de cette nuit d'été, Richard l'avait prise dans ses bras, et lui avait demandé de l'épouser. Il était très calme, parfaitement maître de ses émotions. Elle avait répondu oui, comme dans un songe, et il l'avait alors embrassée, avec une sorte de respect, mais sans passion. Au soir de leurs noces, quand il avait deviné sous le voile du déshabillé, les courbes du jeune corps élancé de sa femme, il s'était révélé d'une nature plus ardente. Vicky avait connu auprès de lui des moments d'extase dont elle n'avait jamais soupçonné l'existence auparavant... Depuis, elle vivait dans un rêve... Et aujourd'hui, pour la première fois, il s'était montré dur avec elle, et n'avait pas tenu sa promesse de l'emmener à Sheffield.

Pourtant, elle le comprenait : il était tout à fait légitime qu'il s'occupât seul d'une affaire le concernant personnellement. Allons, elle devait oublier ce moment de trouble.

Elle appela Kaliph, le terre-neuve de Richard, et partit en promenade. Souvent, la brume assombrissait le paysage et jetait un voile de mystère sur cette contrée sauvage. Mais aujourd'hui, la lande était inondée de soleil et offrait un spectacle apaisant. Dans la vallée, la rivière coulait allégrement sur la mousse et les rochers. A sa droite, s'étendaient des carrières désaffectées, complètement envahies par la végétation. La rocaille avait disparu sous les hautes herbes, les plantes grimpantes, et les digitales ; on y trouvait même des rhododendrons. Ce coin du Derbyshire était très pittoresque.

Une voiture s'arrêta au bord de la route.

— Je peux vous emmener quelque part ? demanda le conducteur par la vitre ouverte.

— Non merci, je me promène.

— Mais vous avez une longue marche à faire !

Le jeune homme riait. La bise jouait dans les cheveux de Vicky et plaquait contre son corps sa robe légère. Elle était très séduisante.

— Qu'en savez-vous ? ne put-elle s'empêcher de demander.

— Il n'y a pas une seule habitation à des kilomètres à la ronde !

— J'adore marcher. Et de toute façon, je n'habite pas loin.

— Où cela ?

Elle ne répondit pas immédiatement. Ce n'était vraiment pas très convenable de se mettre à parler à un inconnu sur cette route déserte. Mais il était sympathique, avec ses taches de rousseur, sa bouche enfantine, ses yeux bleus et ses cheveux blonds rejetés en arrière.

— J'habite au manoir de Whitethorn, dit-elle enfin.

Il sursauta. Un silence se fit. Légèrement étonnée par son attitude, Vicky s'apprêtait à poursuivre son chemin quand à nouveau la voix de l'homme l'arrêta.

— Le manoir de Whitethorn ? C'est justement là que je me rends.

Vicky cligna des yeux.

— Ah bon ? Pour quoi faire ?

Un autre silence suivit.

— Qui êtes-vous ? demanda-t-il en la dévisageant.

Cette question abrupte et indiscrète la fit rougir.

— En quoi cela vous concerne-t-il ? Vous voudrez bien m'excuser...

— Eh ! Attendez une minute ! Je suis confus de vous sembler si mal élevé mais...

Vicky s'éloignait déjà, mais la voiture démarra et la rattrapa. Le chien aboya, pas méchamment d'ailleurs ; le conducteur ne devait pas déplaire à Kaliph, songea-t-elle.

— J'ai rendez-vous avec un certain M. Sherrand. Il est chez lui, je suppose ?

Sans réfléchir, elle secoua la tête.

— Non, il est sorti.

Le jeune homme fronça les sourcils et jeta les yeux sur un dossier, à côté de lui, sur la banquette.

— Un voyage pour rien, marmonna-t-il.

Puis il reprit d'une voix plus forte :

— Je viens de Manchester. Je devais le voir à trois heures.

Il paraissait vexé.

— Je n'étais pas au courant de votre visite, dit Vicky. Etes-vous sûr de la date ? De toute façon, vous n'auriez pas trouvé mon mari : nous avions projeté d'aller ensemble à Sheffield.

— Vous êtes madame Sherrand ? demanda-t-il sur un ton mi-respectueux, mi-incrédule. Pardonnez ma maladresse, mais vous avez l'air si jeune...

— C'est vrai, je ne suis pas très vieille. Je suis désolée que vous ayez perdu tant de temps ; je ne peux malheureusement pas vous être d'un grand secours.

Pris d'une impulsion soudaine, le jeune homme ajouta :

— Je crois que si. Je suis venu faire le relevé des terres mises en vente par votre mari. J'ai ici une carte en indiquant l'emplacement, mais je ne peux guère me mettre au travail sans l'autorisation du propriétaire. Pourriez-vous m'accompagner ?

— Vous êtes sûr de ne pas vous tromper ?

Richard avait déjà vendu du terrain à son père, mais ses difficultés financières s'étaient-elles accrues au point de l'obliger à morceler ce domaine, œuvre de plusieurs siècles ?

— Vous n'êtes pas au courant ? J'ai ici tous les renseignements.

D'un geste de la main, il lui indiqua le dossier.

Vicky ne savait que faire. De toute évidence, le bon sens commandait qu'elle autorisât l'homme à effectuer son travail. Richard serait content de son initiative. La voyant encore hésitante, son compagnon lui montra les instructions de ses employeurs. En apercevant le nom de la société, Vicky poussa une exclamation de surprise : il s'agissait de concurrents de son père qui, à maintes reprises, lui avaient arraché des affaires en lui coupant l'herbe sous le pied. Aux dires de Wallace, ils s'étaient juré « d'avoir sa peau » et allaient jusqu'à travailler à perte pour arriver à leurs fins. Et Richard traiterait avec eux ?

Elle monta dans la voiture, Kaliph sauta à l'arrière, et ils se mirent en route.

— Que va devenir tout ce terrain ? demanda-t-elle.

— Un lotissement de maisons individuelles. L'idée n'a pas l'air de vous plaire, ajouta-t-il en voyant son air affolé.

Trop bouleversée pour formuler une pensée cohérente, elle ne répondit rien. Il se passait quelque chose de grave, sinon Richard n'aurait pas pris cette décision. « Ainsi, dans ce cadre grandiose on construirait des boutiques, des bureaux, des routes, des écoles, des usines... Non, ce n'était pas possible !

— Ce... lotissement occupera quelle surface ? demanda-t-elle brusquement.

— Deux cents hectares pour commencer, mais je crois qu'il n'a pas l'intention d'en rester là. Vous pouvez regarder le plan. Vous savez lire une carte ?

— Oui, répondit-elle d'un ton acerbe. Mon père est entrepreneur.

— Ah bon ? Quel est le nom de sa société ?

— Je préfère ne pas vous le dire.

Le ton de sa voix était cassant et sans réplique. Plus un mot ne fut prononcé jusqu'au manoir. Là, Vicky le fit entrer et lui demanda de déplier la carte entièrement afin de pouvoir se rendre compte de l'étendue des terres offertes à la vente.

— Je m'appelle John Bailey, lui apprit-il. Excusez-moi, j'aurais dû me présenter plus tôt.

Vicky eut envie d'aller chercher son père. Mais cela lui ferait perdre du temps, et, curieusement, elle souhaitait en apprendre davantage avant le retour de son mari.

Ils s'installèrent sur une table du vestibule. Vicky fut stupéfaite de constater sur la carte l'étendue de la partie hachurée. En réalité, elle recouvrait toute la moitié est du domaine !

— Mais cela représente une surface considérable ! lança-t-elle d'une voix blanche. Jusqu'au bord de notre parc !

— C'est exact. Mais la vue que vous avez du manoir n'en souffrira pas.

Montrant du doigt un point sur la carte, il poursuivit :

— Il y a déjà une construction de ce côté. Eux, en revanche, n'ont pas de chance ; ils finiront par être complètement encerclés par les nouvelles propriétés.

L'environnement change avec une telle rapidité de nos jours !

— Mais d'ordinaire, on ne bâtit pas sur ce genre de terrain ?

— Oh, plus maintenant ! Nombreux sont les héritiers de grandes fortunes obligés de vendre, aujourd'hui... Oh, mon Dieu ! Je suis terriblement confus, madame Sherrand. Je ne suis qu'un imbécile et un étourdi. Je ne sais comment m'excuser. Et vous ignoriez tout des transactions de votre mari, en plus... Pardonnez ma sottise, je vous en prie.

Il considéra avec effroi ce petit visage qui avait revêtu un masque de froideur, aussi rigide soudain que le reste de son corps.

— Voulez-vous aller voir ce terrain ? demanda-t-elle enfin.

Il fit un signe d'assentiment et s'empressa d'ajouter :

— Je dois absolument m'assurer que ce terrain se prête vraiment à la construction.

Ils s'en furent en silence ; John Bailey avait à ses côtés une femme pour le moins bouleversée. Elle refusa son aide et chercha elle-même sur le plan les limites de la parcelle. La maison de son père se trouvait effectivement au beau milieu de celle-ci.

— Voilà la maison en question, dit-il en la lui montrant du doigt. Elle est superbe. Vous en connaissez le propriétaire, madame Sherrand ?

— Oui, je le connais très bien.

Elle avait du mal à articuler, et reconnaissait à peine sa propre voix dans ces inflexions fières et distantes.

— Vous avez bien dit deux cents hectares ?

— C'est cela.

Il poussa un peu plus loin son exploration.

— J'aimerais prélever des échantillons du sol, si vous le permettez. On ne sait jamais, certains acheteurs potentiels auront peut-être l'idée de se lancer dans la culture. Je dois dire que quelques hectares de serres rapporteraient certainement assez gros par ici ; ou des pépinières. Des denrées de luxe et des primeurs…

Remarquant sa pâleur, il s'interrompit.

— Excusez-moi… Ces projets de culture n'ont pas l'air de vous plaire beaucoup… Vous n'avez pas à vous inquiéter, vous êtes de l'autre côté de la colline. Soyez sans crainte, vous n'en pâtirez pas ; vous ne verrez strictement rien de chez vous.

Il tentait de la rassurer, mais en même temps il ne perdait pas ses affaires de vue.

— J'en ai encore pour pas mal de temps ; si vous préférez rentrer…

— Oui, j'aimerais autant.

Et sans un mot de plus, elle fit volte-face et s'en retourna vers le manoir.

Comment Richard pouvait-il vendre ses terres sans songer à l'harmonie du paysage où son père vivait ? De plus, la maison perdrait au moins la moitié de sa valeur.

John Bailey revint au bout d'une heure, et Vicky n'avait aucun désir de le voir s'attarder. Elle eut cependant la courtoisie de lui offrir une tasse de thé.

— Je ferai part de votre visite à mon mari. Mais il faudra que vous repreniez contact avec lui.

— Je vous remercie, madame. Je… Je suis vraiment désolé…

— Vous n'y êtes pour rien, monsieur Bailey. Et maintenant, si vous voulez bien m'excuser, je vais retourner à mes occupations…

Elle regarda le véhicule s'éloigner et prendre de la vitesse. Quand il eut disparu derrière le virage, elle ferma les yeux. Comment allait-elle annoncer à son père la terrible nouvelle ? Richard devait être dans une situation financière affreusement difficile pour décider de vendre une telle étendue. Mais pourquoi sacrifiait-il précisément les alentours de la maison ?

Elle attendit le retour de son mari avec une impatience accrue. Pourtant, dès qu'elle vit la voiture arriver, elle eut envie de s'enfuir en courant. Mais elle resta dans le salon, s'efforçant de sourire pour accueillir son époux. Il effleura ses lèvres d'un baiser.

— J'ai eu la visite d'un certain John Bailey, lui annonça-t-elle sans préambule. Il était envoyé par une société d'entrepreneurs du nom de...

— John Bailey ! Ici ?

La colère le gagna.

— De quel droit ?... Que venait-il faire ?

— Voir le terrain mis en vente par vos soins, Richard. Ils comptent construire dessus, et il ne restera pas un mètre carré de verdure autour de la propriété de mon père.

Remarquant la pâleur de son visage, Richard oublia son irritation. Il prit un air inquiet et lui tendit les bras. Elle courut s'y réfugier, blottissant sa tête contre son épaule.

— Ma chérie, lui dit-il doucement, vos craintes sont sans fondement. J'ai effectivement eu l'intention de me séparer de cette partie du domaine, mais j'ai depuis changé d'avis, et il n'est plus question d'y toucher.

— Vraiment ? implora-t-elle, se dégageant de son étreinte. Oh, Richard, vous me dites bien la vérité ?

— Absolument, mon amour. Comme cette visite a dû être déplaisante pour vous. Je ne comprends pas ce qui s'est passé. J'ai annulé ce rendez-vous il y a plus d'un mois. Le manque de sérieux de certaines entreprises m'affole. De toute évidence, ils ont perdu la lettre de mon notaire.

Il sentit le corps de Vicky se détendre dans ses bras. Elle poussa un soupir de soulagement, mais ses nerfs avaient été mis à rude épreuve, et malgré ses efforts pour retenir ses larmes, elle éclata en sanglots.

— Allons, mon amour, ne pleurez pas. Il n'y a aucune raison de vous faire du souci. La maison de votre père ne craint absolument rien.

— Mais vous avez réellement eu l'intention de vendre cette parcelle ?

— Oui, soupira-t-il. Je l'avoue.

— Pourquoi donc à cet endroit précis ?

Il sembla chagriné.

— A l'époque, je connaissais bien mal votre père. Je ne vous avais même pas rencontrée.

— Je vois.

Cet élément nouveau lui apporta un immense soulagement.

— Il doit s'écouler un temps considérable entre le moment où l'on conçoit un projet de cette envergure et le jour où il est enfin réalisé. Je me rappelle les ennuis que ces détails créaient à mon père lorsqu'il achetait des terrains.

Son mari hocha la tête.

— J'ai entamé les négociations avec l'entreprise de construction peu de temps après votre aménagement.

— Vous deviez... avoir besoin d'argent...

Vicky parlait avec réticence. Elle n'osait pas aborder ces problèmes personnels, et craignait que son mari ne se vexât, ou fût embarrassé. Mais à sa grande surprise, il sourit à l'évocation de ses difficultés financières et ne chercha pas à la détromper.

— Malgré tout, lui dit-il, l'attirant de nouveau contre son cœur, j'ai surmonté ces problèmes. J'ai... réussi à assainir ma situation.

Elle leva les yeux vers lui, sentant confusément une légère hésitation dans ses propos. Elle était trop heureuse pour pouvoir penser à autre chose : cette visite n'aurait pas de suite ; le bien-être de son père n'était pas menacé. Elle se blottit plus confortablement encore dans les bras de Richard, et ils restèrent ainsi pendant un long moment, silencieux, perdus dans leurs pensées.

— Tout s'est bien passé cet après-midi ? demanda-t-elle enfin, levant la tête pour mieux le regarder.

— Oui.

Son ton était sec, et il lui sembla que ses bras se raidissaient autour d'elle.

— Je vous l'ai dit, je crois. Il ne s'agissait pas d'affaires à proprement parler.

Vicky ne répondit pas. Sans trop savoir pourquoi, elle se sentait légèrement mal à l'aise. Son mari dut le deviner car il se pencha vers elle et l'embrassa tendrement sur les lèvres.

— Je vous aime, murmura-t-elle entre deux baisers. Comment ai-je pu avoir tant de chance ?

Il tressaillit à ces mots.

— C'est moi qui devrais être le plus reconnaissant de nous deux, ma chérie. Oui, c'est bien moi qui ai le plus de chance, répéta-t-il.

Son esprit pendant qu'il parlait, semblait être sous l'emprise d'un trouble profond, et son regard s'était assombri d'une manière étonnante. Il la serra davantage, et elle sentit son long corps élancé frissonner contre le sien.

— Vous êtes adorable. Douce, simple, aimante... Qu'est-ce qu'un homme pourrait désirer d'autre chez une femme ?

Elle rit, un peu gênée par ses compliments.

— Vous êtes pire que mon père ! s'écria-t-elle.

— Il vous adore. Quand je vous vois avec lui, je regrette de ne pas avoir reçu plus d'affection du mien.

— Je souhaite à tout le monde d'avoir un père comme le mien.

— Et moi, à tous les hommes d'avoir une femme comme la mienne, répliqua-t-il galamment.

L'entourant de ses bras protecteurs, il la tint tout contre lui. Il l'aimerait toujours, et tant qu'il serait là, songeait Vicky, l'assurance de cet amour suffirait à dissiper ses craintes.

4

Plusieurs jours s'écoulèrent, d'une douceur idyllique. Vicky, avec l'accord de son mari, et après en avoir discuté avec lui, bouleversait pas mal de choses dans la disposition du mobilier. Richard dut vite admettre qu'elle avait un sens exquis de l'aménagement et de la décoration.

— Il faut dire à Snowy de venir vous aider, lui dit-il un jour quand, survenant à l'improviste, il la surprit en train de déplacer un lourd secrétaire de bois laqué noir, aux portes et à l'abattant soulignés de dorures. Je ne veux plus vous voir vous amuser à cela.

Sa voix était sévère, et ses yeux brillaient de colère. Elle ne devait pas s'abaisser à accomplir des tâches aussi dures. Son rôle était de superviser les opérations, et de les faire exécuter par les domestiques.

— Je suis désolée.

Vicky se redressa, toute rouge. Le regard de son mari s'attarda sur sa robe, mais à son grand soulagement, il s'abstint de tout commentaire sur sa tenue.

— Snowy a fini ? demanda-t-elle. Il était en train de réparer le fer électrique de Lucy tout à l'heure.

— Vous étiez donc dans la cuisine ?

Elle acquiesça de la tête.

— A la maison, j'aimais bien surveiller la préparation des repas. Mais je ne faisais pas la cuisine moi-même, s'empressa-t-elle d'ajouter. Grâce, notre cuisinière, ne m'aurait jamais permis de toucher à quoi que ce soit.

— Votre place n'est pas dans la cuisine, Vicky, dit Richard, non sans gentillesse d'ailleurs. La maison ne manque pas d'endroits agréables, je pense ?

— Je pourrais peut-être vous aider ? proposa-t-elle en riant.

— Vous ? Et de quelle façon ?

— La gestion du domaine doit nécessiter un gros travail de comptabilité. Mon père m'avait pratiquement confié cette charge. Il était parfois si fatigué, qu'en rentrant le soir, il s'effondrait dans un fauteuil et s'endormait sur-le-champ...

L'expression de son mari la fit s'interrompre.

— Qu'y a-t-il ?

— J'étais simplement en train d'imaginer Wallace comme vous le décriviez à l'instant, éreinté, obligé pourtant de se remettre dès le lendemain matin à son dur labeur.

Il réfléchissait.

— Dire qu'il a dû travailler tellement pour amasser sa fortune, et maintenant...

Il soupira, un frémissement aux coins de la bouche. Vicky s'approcha de lui, et, glissant un bras sous le sien, elle leva les yeux sur son visage assombri :

— Richard, vous me paraissez parfois si mystérieusement impénétrable. Vous employez les mêmes expressions énigmatiques que mon père.

— Quelles expressions énigmatiques emploie-t-il donc ?

— Je ne me souviens pas d'exemples précis.

Son effort de concentration lui fit plisser le nez.

— C'était surtout avant notre mariage. Il disait vraiment des choses bizarres. Encore aujourd'hui, je m'interroge sur les raisons véritables qui l'ont poussé à vous inviter chez nous la première fois. Je croyais qu'il avait à vous parler affaires, mais visiblement, ce n'était pas le cas. Vous n'avez rien voulu conclure ensemble, n'est-ce pas ?

A sa stupéfaction, il se détourna d'elle et changea de sujet, lui répétant qu'elle n'avait pas à déplacer des objets encombrants. Elle laissa retomber la main qu'il avait serrée dans la sienne seulement quelques secondes plus tôt. Elle aurait voulu lui offrir ses lèvres tremblantes en signe d'amour, mais Richard semblait tout à coup si lointain, si absent...

— J'en ai fait assez pour aujourd'hui, dit-elle d'une voix mal assurée. Cela ne vous ennuie pas que j'aille voir mon père ?

Il tourna vers elle un regard interrogateur.

— Vous en ai-je jamais empêché, Vicky ?

— Non, mais je resterai peut-être déjeuner.

— Pourquoi ? demanda-t-il brièvement.

— Je ne sais pas vraiment. J'ai besoin de ré...

Elle s'interrompit, stupéfaite d'avoir été sur le point de laisser échapper une chose pareille.

— De réconfort ? Vicky, pour l'amour du ciel, que voulez-vous dire ?

Etrangement, sa voix était coupante et inquiète à la fois.

— C'est stupide, je sais, dit-elle, furieuse contre elle-même.

Elle rit nerveusement.

— Cela ne s'explique pas, Richard. Ne m'en veuillez pas.

Elle revit ces derniers jours où elle avait vécu un bonheur absolu. Le matin, Richard travaillait dans son bureau. Elle allait se promener jusque chez son père et passait quelques instants en sa compagnie. A son retour, elle s'occupait des transformations entreprises dans l'aménagement du manoir. Elle déjeunait avec son mari et ensuite ils prenaient la voiture, ou allaient marcher sur la lande. Puis venait l'heure du dîner, dans le tendre décor romantique éclairé aux chandelles ; et à nouveau ils sortaient, moins loin cette fois, souvent dans le jardin. Ils gagnaient ensuite leurs chambres. Vicky, le cœur battant, attendait de voir s'ouvrir la porte de communication, et bientôt son mari était là ; il lui souriait tendrement, les bras grands ouverts pour l'accueillir. Rien n'était venu troubler ce bonheur parfait. A présent, malgré tout, Vicky se sentait à nouveau la proie du malaise inexplicable qui l'avait déjà saisie à une ou deux reprises.

Le ton sec de Richard fit irruption dans ses réflexions.

— Et vous me reprochez d'être énigmatique !

— Je sais. Mais ce n'est pas la même chose, dit-elle gauchement.

— Vous devez pouvoir m'expliquer pourquoi vous avez besoin de consolation, Vicky.

— N'y prêtez pas attention. Je ne sais pas moi-même ce qui m'a fait dire cela.

Il n'était pas satisfait, mais abandonna le sujet.

— Vous déjeunez chez votre père, alors ?

— Je...

Elle s'arrêta, indécise.

— J'adore prendre mes repas avec vous, Richard, murmura-t-elle dans un souffle, si bas que son mari ne perçut pas le ton implorant de sa voix.

— Moi aussi, Vicky. Mais si vous en avez envie, je vous en prie...

— Je ne veux rien changer à nos habitudes, protesta-t-elle, les yeux embués de larmes.

— Alors, que signifie tout cela ?

Il la prit doucement par les épaules et l'attira contre lui.

— Nous déjeunerons ensemble, ma chérie, comme d'habitude.

A ces simples paroles, la vie et le monde retrouvèrent tout leur éclat.

— Je suis idiote, reconnut-elle avec un sourire d'excuse. Je me fais des idées.

— Je suis tout à fait d'accord avec vous, répliquat-il, amusé. Et je ne chercherai même pas à savoir ce que vous allez vous imaginer.

— Parce que c'est sans importance ?

— Exactement.

Frémissante, elle chercha son regard. Lui la contemplait avec ravissement, attentif à chaque détail, comme s'il la voyait pour la première fois. Elle baissa les paupières, intimidée et troublée par le contact de ses mains et l'expression de son visage. Lentement, il se pencha vers elle et appuya sur ses lèvres un long baiser.

— Comme vous êtes belle, Vicky !

… Assise devant sa coiffeuse, elle se souvenait de ses paroles. Pour la première fois, elle observa avec intérêt ses longs cils recourbés, son nez fin, et sa bouche, que Richard aimait tant embrasser. Elle sourit de plaisir. La vie était magnifique !

Elle l'avait toujours été, mais son père avait raison : le mariage lui avait apporté la plénitude. L'ultime ambition de Wallace s'était réalisée tout naturellement, la providence les avait comblés. Après le zèle déployé pendant ces quarante dernières années, il pouvait enfin jouir d'une existence simple et tranquille, un paradis bien mérité. Il avait réussi dans toutes ses entreprises, et avait persévéré jusqu'à la victoire totale.

Il était presque sept heures et demie. Vicky se hâta, car Richard aimait prendre un apéritif avant le dîner. Elle mit une longue robe noire à la jupe évasée. Le décolleté, les manches et le bas du vêtement étaient ornés d'un volant.

En descendant le majestueux escalier, elle vit son mari se diriger vers le téléphone. Quelle silhouette imposante ! Quelle prestance ! Une fois encore, elle se félicita de sa chance. Elle le vit décrocher le récepteur et composer un numéro. Richard ignorait sa présence ; il lui tournait le dos. Elle pensa attirer son attention, mais n'en fit rien, et se perdit dans la contemplation de l'homme qu'elle aimait.

Elle entendit des propos dont elle ne comprit pas clairement le sens.

— ... votre lettre de ce matin. Vous devriez vous abstenir de ce mode de communication et en laisser le soin à vos avocats.

Sa voix était cassante, glaciale.

— Oui, disait-il, vous avez droit à la moitié de...

Son interlocuteur avait dû l'interrompre.

— Il a bien fallu que j'accepte, mais cela prendra du temps et il m'est impossible de satisfaire votre...

On lui coupait la parole encore une fois.

Soudain, il explosa : il ne tolérerait plus ces lettres d'injures !

Il s'apprêtait à reposer le récepteur, et Vicky se sentit coupable d'être restée là à écouter une conversation qui ne la concernait pas. Elle battit en retraite, et au moment où Richard se retourna, il la vit en haut de l'escalier, commencer à descendre lentement vers lui, un sourire aux lèvres.

— Vous êtes là depuis longtemps ? lui demanda-t-il brusquement.

— Non. Pourquoi ?

Il se tenait au pied des marches ; pendant un instant fugitif, il fut saisi par la beauté de Vicky. Elle était troublée. Si son mari apprenait son indiscrétion, il serait furieux ! Et comme il la mépriserait !

— Avez-vous entendu ce que je disais ?

Ses yeux pénétrants cherchaient à percer l'expression de sa femme.

Elle fut étonnée de s'entendre déclarer avec une superbe assurance :

— Non, Richard. Je n'ai rien entendu. Je sors de ma chambre à l'instant. Ma robe vous plaît ?

Visiblement soulagé, il lui tendit une main sur laquelle elle posa la sienne. Les battements de son cœur s'étaient calmés.

Vicky fit bonne figure et bavarda joyeusement au cours du repas. Mais elle pensait sans arrêt à cette conversation téléphonique. D'innombrables questions se pressaient dans sa tête. A qui Richard parlait-il ? Qui osait lui envoyer des lettres d'injures ? Quelqu'un le menaçait. Mais qui ?

— Vicky, à quoi pensez-vous ?

Abandonnant là sa rêverie, elle se demanda ce que cachait l'expression amusée de son regard.

— Vous êtes ailleurs, ma chérie.

— Excusez-moi, mais je ne songeais à rien d'important, s'empressa-t-elle d'ajouter pour le dissuader de la questionner.

Elle avait trop peur de se trahir.

— Ce steak est délicieux. Vous savez, Richard, avant de goûter aux repas de votre cuisinière, j'aurais juré que nous avions le meilleur cordon bleu d'Angleterre.

Le compliment lui fit plaisir.

— Mais le mérite ne m'en revient pas. C'est mon père qui l'a trouvée. Ou plutôt qui l'a volée à l'un de ses meilleurs amis. Il lui a offert de doubler ses gages. Elle n'a pas résisté, elle est venue chez nous.

— Ce n'était pas très correct...

Vicky s'interrompit et s'excusa.

— Mais vous avez parfaitement raison ! Tout le monde a condamné mon père. Inutile de préciser que cette mauvaise action fut la fin d'une belle amitié.

— Vous ne m'avez jamais beaucoup parlé de lui, dit Vicky après un silence d'hésitation.

— Vous voudriez en savoir davantage ?

Les lèvres pincées, il semblait aux prises avec de pénibles souvenirs, ou des regrets amers.

— Nous n'avions pas grand-chose en commun. J'ai peu de souvenirs à vous confier. Quand il s'est remarié, j'ai quitté la maison.

— Quel dommage ! Après tout vous étiez chez vous ici.

— Oui, et cela m'a énormément manqué. Je me demandais souvent si je reviendrais un jour.

— C'était inévitable, non ? A sa mort, le manoir vous revenait de toute façon.

— Oui, je devais en hériter, acquiesça-t-il avec une grimace.

— Votre belle-mère a la réputation d'être dépensière... Mais peut-être ne devrais-je pas évoquer ces soucis ?

— Cela ne m'aidera pas à les résoudre, ma chérie. Pourtant, je trouve tout à fait naturel que ma femme s'intéresse à moi.

— Oui. Vous, vous savez tout de moi, n'est-ce pas ? continua-t-elle naïvement.

— Je le crois. A moins qu'un secret honteux ne soit bien gardé dans la famille... la taquina-t-il.

— Nous n'avons rien à cacher. Mon père n'a jamais commis la moindre malhonnêteté. Quant à moi, eh bien, je n'ai rien non plus à me reprocher, à part un coup de poing sur le nez d'une camarade !

— Vous avez fait cela ?

Il ouvrait des yeux étonnés.

— Elle avait dit du mal de mon père. J'étais dans une école privée, avec les filles de... de gens comme vous.

Sa mine contrite amusait considérablement Richard.

— A l'époque, mon père avait déjà monté une affaire importante, et elle l'avait traité de simple maçon ! Je ne pouvais ne pas réagir, n'est-ce pas ? Alors voilà, je lui ai donné un cou de poing ; son nez s'est mis à saigner, c'était abominable !

Elle prit une bouchée de viande.

— N'en dites rien à papa ! Il serait choqué de ces manières peu distinguées.

— Je le crois sans peine, dit-il, songeur. C'est un perfectionniste. Il place très haut son idéal, et reporte sur vous de grandes ambitions.

— Oui, vous l'avez parfaitement compris.

— Je ferais bien de faire attention, reprit-il, s'éloignant du sujet.

— Comment cela ?

— De ne pas vous contrarier. Je risquerais de me retrouver avec un œil au beurre noir !

Elle éclata de rire. Il la contemplait à la lueur des bougies ; sa physionomie reflétait une expression étrange. Sa bouche avait pris un pli amer, et une ombre voila son regard. Le sourire de Vicky s'évanouit. Sous son humeur gaie et légère se fit jour une certaine inquiétude.

— Je serais incapable de vous faire du mal, Richard. Qu'avez-vous ? Vous avez l'air… triste.

— Mais non, mon amour, se hâta-t-il d'ajouter pour la rassurer, le visage détendu à nouveau. Pourquoi dites-vous cela ?

Elle eut un geste vague. Elle le soupçonnait de lui mentir, et se mordit la lèvre. Entre son mari et elle auraient dû régner des rapport d'intimité totale. Mais ce n'était pas le cas, et ce n'était pas la première fois qu'elle le remarquait. Elle avait dès le début été très sensible à la différence de milieu social, et en avait développé un complexe d'infériorité. Tant qu'elle ne le surmonterait pas, elle le savait, leur union ne pourrait guère se resserrer. Ne ne sentant pas assez proche de lui, elle n'insista pas pour connaître les raisons de son trouble.

— Je ne sais pas, mentit-elle, voyant que son mari

attendait patiemment sa réponse. Vous aviez un air... bizarre.

— Excusez-moi. Je suis très heureux, je vous assure. Je n'ai aucun motif de préoccupation. Mais, ajouta-t-il, manifestement amusé, racontez-moi la fin de votre querelle avec cette fille. Vous avez dû recevoir une sacrée punition ?

— Elle ne m'a pas dénoncée. Elle ne devait pas se sentir absolument irréprochable. J'en ai été quitte pour une bonne peur.

— Votre père était très strict ?

— Oui, il avait peur que je devienne une enfant gâtée.

— Il n'avait aucune crainte à avoir, ce n'est pas votre genre, lui souffla-t-il doucement.

La tendresse de Richard réchauffa le cœur de Vicky.

— Merci, murmura-t-elle timidement. J'ai de la chance, je tiens de ma mère.

— Wallace vous en parle souvent ?

— Non, mais je suis persuadée qu'elle ne quitte jamais ses pensées.

— Mourir si jeune, quelle tragédie !

— Il ne s'est jamais consolé de cette perte cruelle. Moi, je ne l'ai pas connue. Mais pour lui, quel désespoir !

Richard la fixait d'un regard impénétrable.

— Vous êtes adorable, chuchota-t-il subitement. Vous méritez mieux...

Il s'arrêta brusquement, et reprit :

— Vous auriez mérité l'amour d'une mère.

Repoussant son assiette, il s'adossa contre sa chaise. Vicky, perplexe, se demanda s'il avait eu l'intention de dire autre chose.

— Mon père s'est toujours montré très attentif et généreux. Elle ne m'a pas vraiment manqué. Et puis, vous m'avez fait don de votre amour et de cette superbe demeure. Que pourrais-je désirer de plus ?

Prenant sa serviette pour s'essuyer les lèvres, elle ne vit pas les yeux de Richard se fermer sous le coup d'une douleur atroce. Elle remarqua cependant ses lèvres pincées. Comment lui faire oublier cette horrible conversation téléphonique ? Touché par le tendre et doux sourire de sa jeune épouse, Richard saisit la main qu'elle lui offrait si ardemment.

— Oh, je suis si heureuse ! s'exclama-t-elle. C'est comme si je vivais un rêve tout éveillée. Après tout, qui suis-je pour avoir le bonheur d'être...

Elle se mit à rougir et Richard termina sa phrase pour elle :

— Ma femme ?

— J'allais dire : la femme d'un homme aussi honorable, reprit-elle d'une voix étranglée par l'émotion. Je vous admire et vous estime beaucoup, Richard.

Il fronça les sourcils et évita son regard, comme s'il avait honte de quelque chose.

— Qu'y a-t-il ? demanda-t-elle, surprise.

Un sourire rassurant effaça cette désagréable impression. Le reste du repas se passa en bavardages futiles. A plusieurs reprises, Richard sembla de nouveau assailli par de moroses préoccupations, mais il écouta Vicky attentivement. Elle lui raconta sa vie avec son père. Elle avait toujours vécu confortablement. Les affaires prospéraient ; ils avaient connu le luxe. Un jour, Wallace était arrivé en courant dans le charmant cottage du Cheshire où ils vivaient alors ; il brandissait un bout de papier et criait :

— J'ai réussi ! Je suis milliardaire !

— Quelle joie ce doit être de réaliser son ambition après tant d'efforts et de luttes ! dit Richard.

— Il aurait continué sans trêve jusqu'au succès. J'espère qu'il pourra maintenant profiter des fruits de son labeur pendant de longues années.

Un lourd silence suivit. Au bout d'un moment, Richard sortit de ses réflexions et dit :

— Je le lui souhaite sincèrement, Vicky. Personne ne le mérite plus que lui.

— Il n'a jamais songé à se remarier, confia-t-elle avec regret. Pourtant, je l'ai quitté pour me marier ; il est seul maintenant. J'aimerais qu'il trouve quelqu'un pour partager sa vie.

— Vous avez raison. La compagnie d'une femme serait idéale pour lui.

— Il y a bien Mme Basset, lui confia Vicky. Vous l'avez rencontrée à notre mariage. Elle est charmante, vous ne trouvez pas ?

— Oui, approuva-t-il. Votre père la connaît depuis longtemps ?

— Quelques années. Elle est venue une fois en vacances avec nous, quand j'étais petite. Elle jouait dans le sable avec moi. Je l'adorais. Elle est veuve.

— Etonnant qu'elle ne se soit jamais remariée. Elle est extrêmement séduisante. Les occasions n'ont pas dû lui manquer.

— Et elle n'a pas cinquante ans, elle est encore très jeune.

— Elle a des enfants, je crois ? dit Richard, se souvenant des demoiselles d'honneur, ses deux petites filles.

— Un fils unique. Mais elle ne veut pas vivre chez lui et sa femme. Elle a un petit appartement à Macclesfield.

— Ce n'est pas très loin d'ici. Elle a vécu un peu la même tragédie que votre père.

— C'est vrai. Elle a perdu son mari très jeune, et est restée seule avec un enfant à élever.

Richard redevint songeur un moment.

— Votre père ne la voit pas très souvent ?

— Non, elle travaille dans un bureau. Elle fait des heures supplémentaires pour gagner un peu plus, elle a de longues journées. La vie est si chère de nos jours ; les personnes seules sont durement touchées.

Elle parlait d'une voix sérieuse et réfléchie. Richard lui jeta un regard d'une infinie tendresse.

— Je vous aime, dit-elle doucement, surprise autant que lui.

Il ne répondit rien, mais se contenta de la contempler. Surmontant sa timidité, elle demanda :

— Vous m'aimez, Richard ?

Aucune coquetterie ne gâchait son attitude ; mais une pointe de malice, mêlée à une candeur enfantine, émurent profondément Richard. Il était bouleversé. Reprenant ses esprits, il dit, levant un sourcil ironique :

— Vous en doutez ?

Alors il se leva et lui tendit les bras. L'amenant contre lui, il lui releva gentiment le menton et déposa un baiser sur ses lèvres entrouvertes.

— Ma bien-aimée...

Il la serra très fort, comme s'il voulait la garder à jamais prisonnière de son étreinte. Un nouveau baiser la fit frissonner de plaisir.

— Eh bien ! Vous n'avez pas répondu ?

— Je ne sais pas ! dit Vicky en riant.

— Menteuse ! C'était de la provocation ! Horrible petite tentatrice !

— Oh, quels propos abominables !

— Je serai encore plus affreux si vous recommencez !

— Je voulais simplement vous l'entendre dire, poursuivit Vicky, nullement impressionnée par la feinte sévérité de ses yeux.

Il la prit par les épaules, et leurs lèvres se rejoignirent. Elle s'abandonna à ses caresses, emportée par la passion, tandis qu'elle sentait ses mains glisser le long de son corps.

Quel ravissement ! Vicky se pencha légèrement en arrière. Le regard de Richard ne trompait pas. Elle lisait l'amour qui s'y reflétait. Pourquoi alors, à cet instant précis, se souvint-elle des craintes qu'elle avait exprimées à son père ? Pareil bonheur pouvait-il durer ?

5

Assis sur la pelouse, Wallace regardait sa fille pensivement. Elle admirait les superbes couleurs des fleurs épanouies au chaud soleil de juillet. Elle se retourna pour lui sourire. Il lui fit signe d'approcher. Elle accourut aussitôt sur le tapis de velours vert qui faisait l'orgueil de Stan, le jardinier spécialement employé pour son entretien.

— C'est si beau, père !

Vicky n'avait pas conscience du ton mélancolique de sa voix, mais il n'échappa pas aux oreilles attentives de son père.

— Et ces arbres ! Tu les as fait planter avant la construction de la maison, mais on dirait déjà qu'ils sont là depuis des années !

— La terre est excellente, dit Wallace, se redressant dans sa chaise longue. Alors, mon trésor, cela te plaît d'être une grande dame ?

Elle baissa les yeux, soudainement très intéressée par la boucle de ses sandales.

— C'est merveilleux... Enfin, la maison, le cadre. Quant à moi, dit-elle en ouvrant les mains en signe d'excuse, je ne serai jamais la femme dont tu parles, c'est impossible.

— Je t'ai élevée dans ce seul et unique but, sachant

qu'un jour tu serais la fille d'un homme riche. C'était voir loin, mais mon mérite n'est pas si grand : j'ai le don de lire dans l'avenir !

Ses yeux pénétrants scrutaient le visage de Vicky, étonnamment pâle.

— Qu'est-ce qui ne va pas, mon trésor ?

Elle soupira, perdue dans ses pensées.

— Vraiment, je n'en sais rien, répondit-elle au bout d'un moment.

Les yeux bruns se fermèrent à demi sous les épais sourcils.

— Richard n'a pas pu te consacrer autant de temps récemment, n'est-ce pas ?

— Oui, il travaille beaucoup dans son bureau. Il est comme toi, il s'occupe presque tout seul des écritures.

— Cela prend énormément de temps, Vicky. Ton mari ne peut pas passer ses journées entières avec toi. Tu dois essayer de l'accepter.

Elle hocha la tête, et se garda d'évoquer ces nombreuses soirées où Richard avait dîné dehors, sans elle. Il s'agissait de repas d'affaires, avait-il dit à Vicky ; elle s'y serait ennuyée à entendre des conversations arides. Il s'était par ailleurs montré très évasif quant à l'objet de ces rendez-vous. Le père de Vicky était loin d'imaginer cela, mais elle n'y fit aucune allusion.

— Bien sûr, je comprends parfaitement ses raisons, se contenta-t-elle de répondre.

— Tu pourrais te trouver des distractions, suggéra-t-il, plein de prévenances.

Elle réfléchit un moment.

— Oui, mais lesquelles ?

— A l'école, tu étais excellente cavalière. Tu n'as pas refait de cheval depuis notre installation ici. Si je t'achetais une jolie petite jument, tu pourrais te lancer dans les concours hippiques. Que dis-tu de mon idée ?

Une lueur illumina son regard.

— Ce serait fantastique, Père, dit-elle les yeux

brillants. J'aimerais beaucoup me remettre à l'équitation.

— Et maintenant, si nous prenions le thé dans la véranda, comme dans le bon vieux temps, qu'en penses-tu ? Des brioches chaudes avec du beurre frais, de la confiture et de la crème ! Viens, Vicky, nous allons nous faire servir tout cela sur-le-champ ! annonça-t-il avec un pétillement malicieux dans les yeux.

Acquiesçant d'un sourire, elle glissa son bras sous le sien, et ils se dirigèrent d'un pas nonchalant vers la maison. La véranda était envahie de fleurs, et meublée d'un superbe ensemble de jardin blanc. Vicky s'installa confortablement, gagnée par une certaine nostalgie du temps passé. Le manoir était beau ; elle aimait ses antiquités et son air vieillot, mais son aspect grandiose commençait à lui peser.

Il en eût été autrement, supposait-elle, si Richard lui avait plus souvent accordé le plaisir de sa compagnie. Elle n'aurait pas remarqué alors ces côtés déplaisants. Mais son père avait raison : il ne pouvait pas être avec elle à chaque heure du jour. De toute façon, pareille assiduité auprès de sa femme aurait été la preuve d'une négligence par ailleurs, et il ne pouvait se le permettre. Le domaine était immense et nécessitait une gestion attentive. Richard surveillait le travail des fermiers ; il veillait au paiement des loyers des métairies et autres propriétés. Il devait s'occuper des gages des domestiques et régler les factures innombrables.

Il avait expliqué tout cela à Vicky. Elle comprenait ses raisons. Seules ses sorties injustifiées, le soir, la contrariaient. Pourquoi n'invitait-il pas ses associés au manoir ? Il aurait pu également convier leurs femmes au restaurant ; Vicky l'aurait alors accompagné. Il était tellement réticent à lui parler de ces dîners... Dernièrement encore, il avait ignoré ses questions, lui signifiant sur un ton d'une dureté inhabituelle que cela ne présentait aucun intérêt pour elle. Et ses explications s'étaient arrêtées là. Depuis, Vicky n'avait pas osé l'interroger à nouveau.

Son père vint s'asseoir en face d'elle. Il était allé chercher le dernier numéro du magazine « Chiens et Chevaux », et commençait déjà à le feuilleter.

— J'ai dit à Grace de nous apporter le thé tout de suite...

Vicky avait les yeux fixés sur ses mains trapues. Elle songeait à tout ce qu'elles avaient entrepris et réussi dans sa vie bien remplie.

— Ecoute cela, lut-il : « Jument pur-sang, cinq ans. Parents tous deux champions du British National. Très prisée auprès des book-makers. Quatre sabots blancs, étoile blanche, crinière et queue blanches. Départ du propriétaire à l'étranger. Cheval sensible. Nécessité d'une bonne maison. » Eh bien, qu'en penses-tu ?

— Fabuleux ! approuva Vicky, les yeux pétillants d'envie. Combien coûte-t-il ?

— Oh, le prix n'a aucune espèce d'importance...

— Ce n'est pas mon avis, interrompit-elle. Combien, Père ?

Et comme il hésitait, elle ajouta :

— Je n'ai qu'à regarder le magazine, tu sais.

— Et si je le cache ? plaisanta-t-il.

— J'irai en acheter un.

— Tu en serais capable ! Très bien : mille sept cents livres.

— Trop cher.

— Une vétille ! D'ailleurs, il faut aussi penser au cheval : tu le soigneras bien. Si nous ne l'achetons pas, il tombera peut-être sur de mauvais propriétaires.

Vicky ne put s'empêcher de rire.

— Tu as une façon de présenter les choses ! s'exclama-t-elle. Parfait ! Puisqu'il en est ainsi, où peut-on voir cette jument ?

— Dans le Cheshire. Tiens, note l'adresse.

64

Il lui tendit un crayon.

— J'écris tout de suite ? demanda-t-elle.

— Non, je le ferai. Ne dis rien à Richard, il aura la surprise. Il sait que tu montes à cheval ?

— Eh bien, non. Nous n'en avons jamais parlé. Lui est bon cavalier ; je l'ai vu une fois galoper dans la prairie. Mais il n'y a plus un seul cheval dans les écuries.

— Je sais, dit-il. S'il s'y trouvait une monture convenable, je ne t'achèterais pas celle-ci.

— Un homme comme Richard, ne pas posséder de chevaux ! Ne trouves-tu pas cela étrange ? interrogea-t-elle, les sourcils froncés.

— Il n'en a pas l'utilité. Un seul suffirait, corrigea Wallace. Mais s'il ne monte pas souvent, c'est vraiment une dépense superflue.

Elle lui lança un regard étonné.

— Il ne doit pourtant pas être à cela près !

— Je suppose que non. Cependant, tu n'ignores pas l'obligation où sont la plupart des grands propriétaires de réduire leurs dépenses.

Grace apparut à ce moment-là avec le plateau. Ils abandonnèrent le sujet.

— Merci, Grace.

— Si vous désirez autre chose, n'hésitez pas. J'ai fort à faire dans la cuisine avec la préparation du dîner, mais je ferai de mon mieux pour vous satisfaire, lança-t-elle en tournant les talons.

Vicky sourit en voyant la grimace de son père.

— Cette femme-là continue de me terrifier, dit-il.

— Allons ! Si c'était le cas, tu n'hésiterais pas à lui donner son congé. Tu ne vas pas me dire qu'elle t'intimide !

— De toute manière, elle fait trop bien la cuisine pour que je songe à la renvoyer. N'en parlons plus ! Sens un peu ces brioches ! Elles sortent du four. Je me demande comment elle fait. Cette nuit, je lui en ai réclamé à une heure du matin, et elle me les a servies toutes chaudes, exactement comme maintenant.

— Que faisais-tu debout à une heure pareille ? le gronda-t-elle.

— Je travaillais, ma chérie.

Il s'arrêta brusquement et un silence suivit. Vicky le scruta longuement, mais son expression était indéchiffrable.

— J'ai à mettre de l'ordre dans mes affaires.

— Comment donc ?

— J'ai mûrement réfléchi à la question. Te voilà installée. J'ai réalisé les projets auxquels je tenais le plus. Je vais prendre ma retraite.

— Je ne peux pas y croire ! Tu es encore si jeune ! Tu n'as même pas soixante ans !

Il lui rappela avec un sourire qu'il en était bien près.

— J'aimerais m'accorder un peu de détente pendant qu'il est temps, ajouta-t-il.

— C'est une idée merveilleuse, approuva-t-elle. Pourquoi ne ferais-tu pas une croisière autour du monde ?

— Je ne te manquerais pas ?

Le ton de sa voix n'était pas naturel. On eût dit qu'il essayait maladroitement de la faire parler. Il semblait vouloir entendre de sa bouche qu'elle était heureuse.

— C'est une question stupide, le gourmanda-t-elle. Tu le sais bien.

Il poussa un profond soupir.

— Vicky, ma chère enfant, je veux seulement te savoir parfaitement épanouie. L'es-tu ?

Il était visiblement soucieux. Vicky se reprocha de s'être montrée morose au cours de ses dernières visites. Il ne fallait pas inquiéter son père.

— Je ne peux pas être plus heureuse, papa.

— Vraiment ?

— Je te l'assure. A présent, si nous n'attaquons pas ces brioches immédiatement, elles seront froides.

Cutey fit la conquête de Wallace et sa fille. Vicky était très enthousiaste à l'idée de posséder cette jument merveilleuse. Richard serait ravi. Selon toute probabilité, il s'achèterait lui aussi un cheval et ils pourraient ensemble faire de longues randonnées sur la lande.

Cutey fut livrée, chez son père. Elle resta dans l'un des enclos, Vicky ne sachant pas où son mari déciderait de la mettre. Pour le moment, toutes les prairies étaient occupées par les troupeaux de vaches.

Elle regardait Richard arriver à grandes enjambées à travers champ ; chaque pas qui le rapprochait d'elle voyait croître son impatience.

— J'ai une surprise pour vous ! lança-t-elle quand enfin il fut près d'elle.

— Qu'est-ce que c'est, mon amour ? demanda-t-il en se penchant pour l'embrasser. Si jamais vous m'annoncez que vous avez transformé mon bureau en un charmant petit boudoir, je vous avertis tout de suite, cela ne me plaira guère !

Elle eut un rire léger. Comme toujours, la personnalité fascinante de son mari l'hypnotisait. Sa simple présence intensifiait ses émotions et son amour pour lui. En même temps, il s'éveillait en elle des désirs ardents et mystérieux qu'elle n'essayait même plus de comprendre.

— Père m'a offert un cheval !

— Un...

Au lieu de l'approbation et de l'intérêt attendus, Vicky vit le visage de Richard se contracter et ses lèvres se serrer. Sa voix dure et froide lui fit l'effet d'une gifle :

— Et si je connais bien votre père, il ne vous aura pas acheté une rosse de cinquante livres !

Vicky recula d'un pas, la main sur le cœur. Elle avait pâli, et sa vue se troublait.

— Combien l'a-t-il payé ? insista-t-il.

— Mille sept cents, bredouilla-t-elle, regrettant immédiatement ses paroles.

— Et toujours jeter de la poudre aux yeux !

Sa bouche, à présent, n'était plus qu'une ligne mince et fine ; elle avait pris un pli cruel. Il tremblait de fureur. Vicky, terrifiée par ce changement brutal dans le comportement de son mari, recula encore. Cela l'exaspéra davantage. Il la suivit à l'intérieur, claquant la porte derrière lui.

— Où est ce cheval ? tonna-t-il, menaçant. Je vous pose une question ! J'exige une réponse.

Vicky avait la gorge serrée ; les larmes commencèrent à couler sur ses joues.

— A la m-maison, d-dans... un enclos.

— Très bien, qu'il y reste ! J'ai assez enduré de...

Brusquement, il s'arrêta et détourna la tête.

— Je suis désolé, dit-il d'une voix rauque. Pardonnez-moi, Vicky...

Il essayait de se reprendre, mais la colère couvait encore.

— Je suis confus. Je vais aller voir ce cheval avec vous.

Vicky le regarda à travers ses larmes.

— Richard... Qu'ai-je fait de mal ? Je... pensais vous faire plaisir...

Elle se cacha la tête dans les mains, et des sanglots déchirants la secouèrent. Richard, avec un soupir de résignation, considéra un instant cette tête baissée, ces cheveux retombant comme deux rideaux de chaque côté du visage. Alors, avec tendresse, il posa la main sur la nuque de Vicky et lui dit, d'une voix brisée :

— Ma chérie, ne pleurez plus. Je n'aurais pas dû...

— Mais pourquoi cette colère ? s'écria-t-elle.

— Vous ne comprendriez pas, répondit-il dans un nouveau soupir.

Il prit son mouchoir et sécha doucement ses larmes. Mais de gros sanglots l'ébranlaient encore.

— Ma chérie, ne vous mettez pas dans un tel état. J'ai eu une journée très éprouvante, mon amour. Je vous en prie, pardonnez-moi.

Il semblait enfin avoir trouvé les mots pour l'apaiser.

— J'ai été confronté à de graves problèmes, mais je n'aurais pas dû laisser éclater ma mauvaise humeur contre vous.

Il se pencha et l'embrassa affectueusement, passionnément. Cette douceur la rassura. Pas entièrement, cependant, car il avait encore le front soucieux.

— Irons-nous chez votre père avant ou après dîner ?

— Cela m'est égal, répondit-elle d'une toute petite voix.

Sa joie était gâchée. Son malaise grandissait. Peu à peu, sans qu'elle saisisse encore les raisons de ce trouble grandissant, le doute l'envahit.

— Nous ferions mieux de nous y rendre plus tard dans la soirée, murmura-t-elle bientôt. Sinon, mon père verrait que j'ai pleuré.

— Il ne faut surtout pas qu'il le sache ! assura Richard énergiquement.

— Richard... commença Vicky, en remarquant l'expression toujours sombre et morose de son mari, vous voulez vraiment y aller ? Si vous êtes fatigué, ne vous croyez pas obligé de me faire plaisir. Ma jument nous attendra jusqu'à demain.

— Vous brûlez d'envie de me la montrer ; c'est très naturel, insista-t-il. Et je dois sortir demain soir. En fait, je ne serai pratiquement pas là de la journée, ajouta-t-il en détournant la tête.

Le cœur de Vicky se serra. Un nœud dans sa gorge l'empêchait de parler.

— Je vois, articula-t-elle enfin pour essayer de rompre le silence pesant. Vous... vous ne déjeunerez pas ici ?

— Non, Vicky. J'en suis désolé. Vous passerez peut-être la journée avec votre père ?

Incapable de répondre, elle se contenta d'un vague signe de la tête. Au prix d'un effort surhumain, elle parvint cette fois à contenir ses larmes. Elle était au supplice.

— Je vais vous laisser vous reposer un peu avant le dîner, Richard, dit-elle machinalement.

Elle se dirigea vers l'escalier en titubant, refusant la main que Richard lui tendait d'un air inquiet.

Le repas fut pénible. Visiblement, son mari regrettait son accès de colère. A plusieurs reprises, il essaya d'engager la conversation. Elle ne lui répondait que par monosyllabes, et il abandonna rapidement ses efforts. Quand approcha le moment de partir, Vicky s'anima un peu, décidée à ne rien laisser paraître de sa souffrance.

Cinq cents mètres seulement séparaient les deux habitations, mais ils prirent la voiture car la pluie menaçait. Wallace les accueillit avec une mine joviale :

— Alors, Richard, vous êtes venu donner votre avis sur la jument ?

Vicky, rayonnante, mit la main dans celle de son mari et répondit à sa place :

— Oui, père. Elle a été sage ?

— Je suis allé la voir une ou deux fois. C'est une bête affectueuse mais elle a besoin d'un compagnon. Si vous achetiez un bel étalon, Richard ?

— Pas pour le moment. Plus tard, peut-être.

Wallace insista, malgré le ton cassant de son beau-fils :

— Je suis sûr que vous n'auriez aucun mal à en trouver un. Y voyez-vous un inconvénient ?

— Non, mais je suis prudent.

Les yeux de Vicky allaient de l'un à l'autre. Qu'est-ce que Richard voulait dire ? Il sembla se perdre dans la contemplation d'un arbuste aux fleurs épanouies. Au loin s'étendaient les montagnes. Les longs rayons obliques du couchant jetaient sur les sommets un éclat translucide, une lumière dorée. Il poussa un soupir qui transperça le cœur de sa femme. Il était terriblement malheureux. Vicky s'en doutait depuis quelque temps. Elle en était sûre maintenant. Son instinct ne la trompait pas.

Elle était bouleversée. Si seulement elle se sentait plus proche de lui, tout serait tellement plus facile. Lui n'y était pour rien. Il n'avait jamais fait preuve à son égard d'une attitude supérieure, ni dans ses paroles, ni dans ses gestes. Si elle arrivait à se persuader qu'elle était son égale, la barrière tomberait d'elle-même. Pour le moment, dévorée de timidité, elle n'osait pas insister pour connaître et partager ses soucis.

« Je ne suis pas assez bien pour lui », songeait-elle. « Tellement médiocre et quelconque à côté d'un aristocrate... » Cette évidence renforçait les doutes croissants dont elle était la proie. Au début, Richard avait dû être séduit par sa beauté ; mais elle était très ordinaire, il s'en était rendu compte trop tard. C'est pourquoi il n'invitait pas ses associés au manoir ; et... il ne l'emmenait pas avec lui parce qu'il avait honte...

— Allons-y, Richard. La jument est dans l'enclos près du bois.

Vicky fut obligée de laisser là ses tristes pensées. A l'intention de son père, elle se composa un masque de gaieté contrainte. A travers elle, il avait réalisé un rêve, une ambition dévorante. Elle se jura que rien ne devrait jamais venir ébranler la certitude de sa réussite.

Elle devança les deux hommes et se dirigea vers le riche pâturage où Cutey était en train de paître. A son appel, elle se mit à trotter jusqu'à la clôture.

— Ma belle !

Elle flatta l'encolure de son cheval et se retourna pour demander l'avis de son mari, avec un air ravi.

Il ne répondit pas immédiatement. Il était probablement stupéfait du changement miraculeux qui s'était opéré chez sa femme. Tant de gaieté soudaine devait le dérouter.

— Ce cheval est une merveille, admit-il en caressant la robe soyeuse. Excellente pour la reproduction.

— Je la destine à autre chose, fit aussitôt remarquer Vicky. J'ai l'intention de faire un peu de compétition, dans les manifestations locales, bien sûr.

— Je ne vous savais pas une cavalière chevronnée, Vicky ? s'étonna-t-il.

— J'ai appris à l'école. J'aime beaucoup l'équitation. Avec l'aide de Cutey, je crois pouvoir faire de bonnes performances.

L'espace d'un instant, Vicky crut lire dans les yeux gris un intérêt accru, comme s'il essayait d'imaginer la cavalière sur sa monture.

— Vous ne lui trouvez donc pas de défaut ? demanda Wallace. J'en étais sûr ; c'est vraiment une affaire.

— Vous vous y connaissez en chevaux ?

— Un peu. Ne soyez pas si surpris, mon garçon ! Un ami m'a convaincu d'acheter un cheval de course autrefois. Par la suite, comme cette entreprise ne s'est pas révélée rentable, j'ai renoncé. J'ai toujours eu le sens des affaires.

Vicky, gênée d'entendre Richard appelé « mon garçon », lui jeta un regard inquiet. Mais il ne semblait pas en avoir pris l'ombrage. Il se contenta de remarquer sèchement :

— Tout ce qui ne vous rapporte pas un profit quelconque, financier ou autre, vous laisse indifférent, en somme.

— Que voulez-vous dire, Richard, par « financier ou autre » ? Quand il y a profit, il s'agit toujours d'argent, non ?

— Pas nécessairement, ma chérie, expliqua son mari, d'une voix aussi froide que son visage. On peut très bien s'enrichir autrement qu'en accroissant inlassablement son capital.

— Si nous rentrions ? suggéra Wallace avec une brusquerie malvenue. Je vais vous offrir à boire. Vicky, tu viendras demain chercher Cutey ?

— Oui... Euh... J'aimerais passer la journée avec toi, si tu n'es pas trop occupé. Richard a des affaires à traiter et ne sera pas là pour le déjeuner.

Elle parlait sur un ton léger, mais son mari remarqua qu'elle n'avait rien dit du dîner.

— Vous voulez donc dîner seule ? lui demanda-t-il dans la voiture, en rentrant chez eux.

— Oui, je n'ai pas envie que mon père soit au courant.

— Cela m'est pourtant déjà arrivé. Il n'en sait rien ?

— Non, et je n'ai pas non plus l'intention de lui en faire part. Je ne vois pas la nécessité de l'inquiéter, ajouta-t-elle glaciale.

Vicky regardait droit devant elle, insensible à la beauté des montagnes. La nuit était tombée, et une douce lumière d'un gris-mauve couronnait les pics. L'éclat nacré d'un croissant de lune, que des nuages venaient masquer par intermittence, mettait une note féerique dans ce tableau. C'était comme si la lande somnolait dans un silence primitif, désolée et inhumaine.

— Vicky, ma chérie... Quelque chose vous ennuie ? demanda-t-il doucement.

Elle crut percevoir dans sa voix tendue un certain sentiment de culpabilité.

— Absolument rien, répondit-elle s'efforçant de feindre la surprise. Quelle idée bizarre, Richard, ajouta-t-elle ironique.

— Est-ce parce que je me suis montré si injuste envers vous ?

Elle se mit à trembler au souvenir de sa dureté

cruelle, mais elle était résolue à ne pas lui laisser voir à quel point il l'avait blessée.

— Vous étiez excusable, après votre journée éprouvante...

— Vous pensez exactement le contraire, je le sais. Vicky, mon amour, dites-moi que vous me pardonnez.

Aucune trace d'humilité dans sa voix... songeat-elle. Non, il était même plutôt arrogant et tellement sûr de son bon droit ! Pourtant, par lassitude, elle lui assura qu'elle ne lui en voulait pas.

Une demi-heure plus tard, elle était dans ses bras, dans sa chambre où elle l'avait attendu passionnément. Plus le temps passait, plus elle avait été convaincue que son mari ne viendrait pas la rejoindre ce soir-là. Elle était en proie à une terrible angoisse quand, tout à coup, la porte s'était ouverte. Son cœur s'était mis à battre follement. Elle était accourue vers lui. Richard, ému par son élan de spontanéité, avait serré dans ses bras ce corps tendre, le couvrant de baisers brûlants. Toutes les craintes de Vicky s'envolèrent au son de ses paroles apaisantes :

— Mon amour... Mon adorable petite femme... Jamais plus je ne vous ferai de mal.

La soulevant de terre, il la porta sur le lit.

— Je vous aime tant, murmura-t-elle. J'avais si peur que vous ne veniez pas !

Avide de baisers, elle lui tendit ses lèvres, qu'il embrassa avec passion, la serrant fort encore. Ses caresses enflammées étaient impérieuses et tendres à la fois, comme sa voix :

— Mon cher amour, vous ne devez plus jamais avoir peur ! Je viendrai vous retrouver chaque nuit ! Comment pourrais-je résister à votre séduction ?

Il fit doucement glisser le délicate chemise de nuit et étendit la main pour éteindre la lumière. La chambre ne fut plus éclairée que par un rayon de lune argenté, filtrant à travers les rideaux entrouverts.

6

Deux semaines s'écoulèrent, pendant lesquelles Vicky connut un bonheur qu'aucune ombre ne vint obscurcir. Souvent, elle se demandait si le doute qui l'avait assaillie n'était pas le produit de son imagination, tant il paraissait lointain désormais. Elle avait suivi un entraînement intensif avec Cutey. Richard, très attentionné, avait fait installer des obstacles dans un grand champ bien plat, et avait fait couper l'herbe rase, pour lui rendre les conditions idéales.

Il était très occupé durant la journée, et Vicky allait fréquemment voir son père.

— Je suis si heureuse que cela me fait peur, lui confia-t-elle un jour.

Elle lui avait déjà dit une fois exactement la même chose, et Wallace s'empressa de le lui rappeler. Il ajouta :

— Il y a environ une quinzaine de jours, j'ai cru deviner que ton bonheur n'était pas vraiment parfait. De toute évidence, je me trompais.

— Oui, mentit-elle.

La petite voiture dont elle avait envie avait été commandée bien avant qu'il fût question de son mariage. Ils en avaient parlé à Richard, mais il n'y avait pas prêté grande attention. Il y avait plusieurs mois d'attente avant la livraison. Un jour, enfin, elle arriva, et Vicky alla la chercher avec son père dans un garage de Buxton. C'était un petit coupé sport très chic, beige métallisé.

— Ce petit bijou vous va comme un gant, lui dit le vendeur en riant. Je n'ai jamais vu qelqu'un prendre en main une voiture neuve avec autant d'aisance.

— Je me sens certainement mieux là que derrière le volant de ce monstre, répondit-elle en lui montrant la Rolls de son père.

Le vendeur fit une grimace. C'était bien d'une femme, devait-il penser, de montrer pareille indifférence devant l'incroyable perfection mécanique des Rolls-Royce. Elle avait essayé sa voiture pendant quelques minutes, et maintenant, elle était impatiente de retourner au manoir. Elle suivit son père jusque chez lui ; ils prirent le thé ensemble. Richard était sur le perron quand elle arriva, et elle vit son regard s'assombrir, après le premier éclair de surprise.

— C'est ma voiture ! cria-t-elle en sautant dehors. Qu'en pensez-vous, Richard ? La couleur est superbe, n'est-ce pas ?

La vitre de sa portière était restée baissée durant tout le trajet. Le vent avait un peu décoiffé ses cheveux, ses joues avaient rosi, et ses yeux brillaient de plaisir. Richard allait probablement lui demander de l'essayer tout de suite. Mais au lieu de cela, il resta là, immobile, fixant en silence l'automobile flambant neuve que sa femme avait si fièrement garée dans la cour de devant.

— Très jolie, commenta-t-il enfin, sèchement.

Ce fut tout. Son indifférence fit retomber tout l'enthousiasme de Vicky. En voyant son regard dur et froid, ses lèvres serrées, la scène de la jument lui revint à la mémoire, le temps d'un éclair. Elle se rappela ses paroles furieuses :

« J'en ai plus qu'assez de votre père et de ses... »

Il n'était pas allé plus loin. Vicky y avait repensé par

la suite, mais s'était retenue de demander à Richard ce qu'il avait voulu dire exactement. Mieux valait oublier ces propos violents, puisqu'ils avaient retrouvé leur heureuse entente. Elle comprenait, à présent, et aurait pu terminer la phrase. Pourtant, cela n'avait pas de sens ! Les dépenses inconsidérées de son père ? Il n'avait pourtant pas l'habitude de jeter son argent par les fenêtres. Pourquoi Richard s'offusquait-il des cadeaux de Wallace à sa fille ? A lui seul aurait dû revenir le privilège de lui offrir les présents les plus coûteux, devait-il penser... C'était là l'unique explication.

— Père n'aurait pas dû m'acheter cette voiture, Richard ?

— Il a le droit de vous donner ce qui lui plaît, dit-il plein de rancœur, après un long silence hostile.

— Elle était commandée depuis longtemps, avant notre rencontre, expliqua-t-elle doucement. J'étais si contente ! Je pensais que vous le seriez aussi, que nous irions l'essayer tous les deux.

Ses yeux s'embuèrent de larmes. Décidément, elle s'en rendait compte maintenant, son mari avait des sautes d'humeur fréquentes, et pénibles à supporter...

— Nous irons nous promener plus tard, promit-il.

Sa voix s'était radoucie, mais elle y décela une pointe d'amertume.

Le lendemain, Vicky se rendit à Buxton pour faire quelques courses. Elle gara la voiture, et après avoir effectué ses achats, elle alla prendre une tasse de thé dans son salon favori. Pas plus tôt assise, elle entendit quelqu'un la saluer. Se retournant, elle reconnut le visage franc et souriant de John Bailey.

— Quelle coïncidence, madame Sherrand ! Puis-je me joindre à vous ?

— Bien sûr, je vous en prie.

Il fit signe à la serveuse, et ils commandèrent du thé et des gâteaux.

— Vous devez vous demander ce que je fais encore par ici ? commença-t-il. Eh bien, j'ai de nouveaux terrains à relever. Mais ne vous affolez pas ! Ils ne sont ni à vous, ni près de Whitethorn.

— A qui sont-ils ? demanda-t-elle, curieuse.

— A une vieille dame du nom de Sarah Austin. Vous la connaissez ?

Elle secoua la tête, mais son cœur bondit. Louisa Austin, l'ancienne amie de Richard, avait effectivement une tante âgée dans la région. Vicky en avait entendu parler.

— Je ne l'ai jamais rencontrée, dit-elle.

— Elle avance en âge ; elle a décidé de vendre et de faire don de l'argent à sa nièce, ou à son neveu, je ne sais plus.

— Vous avez toujours l'intention de construire ? Pourtant, il n'y a guère de travail dans le coin. Ce ne sont que landes désolées, tout juste bonnes pour l'élevage du mouton.

— Alors il faudra envisager l'aménagement d'une zone industrielle. Quelle histoire pour votre terrain ! En fait, il y a eu confusion : la parcelle avait été retirée de la vente. Votre mari est rentré en possession d'une grosse somme d'argent, m'a dit mon patron. Vous avez dû être soulagée, madame Sherrand, de garder intacte votre propriété ?

Vicky ne répondit pas. Elle réfléchissait. C'était clair, Richard avait connu de graves difficultés financières. La vente d'une parcelle à son père était certainement le prélude à d'autres liquidations plus importantes. Il avait commencé à une petite échelle, en pensant que cela suffirait probablement à le tirer d'affaire tout d'abord. Ses problèmes ne s'étant pas résolus, il s'était résigné à se défaire d'une plus grande surface. L'explication paraissait plausible. Mais cet argent providentiel, tombé du ciel au moment précis où il en avait le plus besoin, d'où lui venait-il ? Etait-ce un héritage ? Pourquoi Richard ne lui confiait-il jamais rien ? Leur relation n'était pas devenue plus intime. Vicky s'en attribuait la responsabilité, car en dépit de leur joie à être ensemble, elle ressentait encore ce sentiment d'infériorité quant à son milieu et à sa propre personne. Elle n'avait donc jamais pu rassembler le courage nécessaire pour lui poser des questions précises sur sa vie personnelle.

Elle entendit John Bailey se plaindre de son collègue qui n'arrivait pas, et elle abandonna sa rêverie.

— Votre collègue ? Euh... excusez-moi, j'étais à cent lieues d'ici. Je n'ai pas très bien entendu.

— Nous sommes deux cette fois. Danny m'a laissé il y a deux heures pour aller au bureau du cadastre. Je l'ai attendu une demi-heure dehors pour rien. J'aurais mieux fait de lui donner rendez-vous ici. Enfin, j'espère qu'il aura l'idée de m'attendre à la voiture. Il sait où elle est garée, et il a les clés.

Ils se dirent au revoir, et Vicky partit vers son auto. Elle s'arrêtait de temps en temps pour faire du lèche-vitrine ; elle n'était pas très pressée. Elle regardait une robe dans un magasin de la rue commerçante, perdue dans la cohue, lorsque retentit de nouveau la voix de John.

— Danny ! Te voilà enfin ! criait-il.

Elle fut sur le point de se retourner, mais elle n'en fit rien et prêta l'oreille aux paroles de Danny.

— J'ai terminé. Au fait, j'ai l'explication du problème Sherrand : il a épousé une fortune ! Cela s'est passé très vite. Le père de la fille est milliardaire, il a réglé toutes les dettes de Sherrand...

Ils s'éloignèrent. La voix de Danny se perdit dans la foule. Vicky resta clouée sur place.

Epousé une fortune... Ces mots horribles lui martelaient la tête, de plus en plus fort. Elle se couvrit les oreilles de ses mains. Tout s'expliquait ! Elle ferma les yeux très fort, horrifiée à l'idée qu'on s'était servi d'elle. Grâce à elle, Richard avait trouvé une solution à ses problèmes d'argent. Wallace, quant à lui, avait pu réaliser son rêve. Mais comment avait-il monté cette machination ?

La réponse ne fut pas longue à venir. Il avait invité Richard à dîner dans ce seul but, en évitant soigneusement de donner des explications à sa fille. Il devait être au courant de la position délicate de Richard. Avec du recul, Vicky se demanda comment elle avait pu passer à côté d'une telle évidence : si Richard avait vendu à son père, c'était par besoin d'argent. A l'époque, elle n'y avait pas prêté attention, parce qu'elle avait toujours vu son père se livrer à ce genre de transactions. La réussite de ses affaires dépendait de sa compétence à négocier et acquérir des terres. Et puis, la situation de leur maison était idyllique, ils avaient le privilège de vivre sur le domaine de Whitethorn, célèbre dans toute l'Angleterre. A ce moment-là, pour elle, le reste importait peu.

Quand Vicky se décida à bouger, elle dut se frayer un chemin dans la bousculade des gens pressés de rentrer chez eux après leur journée da travail. Incapable de penser clairement, elle se sentait vide de toute émotion, comme si la nature lui accordait un répit après la violence du choc qu'elle venait de subir.

Elle alla jusqu'à sa voiture comme une automate. Elle ouvrit la portière, s'installa et mit le contact.

« Son père est milliardaire... Il a réglé toutes les dettes de Sherrand... » Ces mots roulaient dans sa tête. Le choc de cette révélation l'avait profondément ébranlée. Elle ne voulait plus penser, ni sortir de cet état d'hébétude. Au moins, tant que la stupeur l'étourdissait, elle ne ressentait pas l'atroce douleur du désespoir.

Elle arriva enfin, rangea la voiture au garage et monta directement dans sa chambre. Elle semblait mue par un mécanisme. Dès qu'elle se retrouva dans le décor familier, le mobilier ancien, la parure de sa coiffeuse en porcelaine de Sèvres... le lit à baldaquin, les larmes ruisselèrent sur son visage et elle éclata en sanglots.

Son mari ne l'aimait pas... ne l'avait jamais aimée. Il avait profité d'elle. Son argent lui procurait le confort, et son corps le plaisir. Elle frissonna de honte à cette idée, humiliée par le souvenir de sa soumission à ses désirs ardents. Elle se sentait souillée par cette mascarade de l'amour. Quelle sorte d'homme était-il donc ? Incontestablement, il était dénué de tout principe moral et d'amour-propre. Son idole tombait de son piédestal.

Comment son père avait-il pu accorder sa main à quelqu'un qui ne l'aimait pas ? C'était à peine croyable. Son ambition était devenue une obsession ; elle n'avait pas pu lui faire abandonner ce projet insensé. La confusion de Vicky était extrême. Elle dut pourtant se résigner à accepter la conclusion logique qui s'imposait : il l'avait sacrifiée à son rêve.

Elle tenta de s'arracher à son infinie détresse. Elle ne pouvait pas pleurer éternellement. La vie continuait. Curieusement, sa première pensée fut pour son père. Il lui avait prodigué tant d'amour pendant toutes ces années. Il avait dépensé sans compter pour son bien-être et son éducation. A aucun prix il ne devait deviner qu'elle avait découvert son stratagème. Dans une certaine mesure, elle comprenait ses motivations : le succès l'avait accompagné tout au long de sa vie ; il n'aurait pas supporté de voir son rêve s'écrouler. Si le mariage de Vicky et Richard n'avait pas abouti, il aurait conçu d'autres projets pour arriver à ses fins. Ces traits étaient inscrits dans sa nature. Elle ne pouvait pas le tenir pleinement responsable du caractère qu'il avait hérité en naissant.

Les larmes l'assaillirent de nouveau. Malgré toute son indulgence, la honte la dévorait. Son père lui avait fait subir des torts irréparables. Dégoûtée, elle s'imagina son mari, froidement calculateur, en train de discuter « affaires » avec lui, et accepter les termes du marché.

Innocente et confiante, elle avait cru en l'amour de son mari ! Elle en avait même plaisanté avec son père, se moquant de ses ruses et de ses stratagèmes inutiles !

Il avait dû mettre Richard au courant des sentiments qu'elle nourrissait à son égard. Et comme il avait dû insister, dans sa détermination farouche, pour lui faire promettre de ne jamais rien dévoiler !

Richard avait fait son possible pour sauver les apparences, il fallait lui rendre cette justice. Il l'avait traitée avec une infinie douceur, lui prodiguant de tendres paroles et des attentions touchantes. Un expert ! C'était un excellent comédien. Il n'aurait pas moins brillé au théâtre dans le rôle de l'amant attentif. Elle s'était laissé prendre à son jeu, et y avait cru. Elle avait tout de même ressenti un certain malaise, à plusieurs reprises, mais elle avait été assez sotte pour s'en incomber la responsabilité, en mettant cela sur le compte de son complexe d'infériorité !

Maintenant, aucun doute ne subsistait : Richard regrettait son mariage. Il était malheureux. Sa morosité et sa lassitude en étaient la preuve flagrante. Eh bien, si cela ne tenait qu'à elle, il pouvait reprendre sa liberté. Seulement, il fallait aussi songer à son père. S'ils divorçaient, il ne s'en remettrait pas. La certitude d'avoir brisé la vie de sa fille le tuerait. Il avait mal agi, mais le grand responsable était Richard et son ignoble cupidité. Sa dot avait dû constituer une somme assez fabuleuse, pour éveiller un tel intérêt. Car il n'était tout de même pas sans ressources, et aurait pu se tirer d'affaire autrement que par cet horrible marchandage.

Elle entendit un bruit dans la pièce voisine. Elle courut s'enfermer dans la salle de bains. Son visage était inondé de larmes, elle avait les yeux gonflés et le front trempé de sueur. Elle colla son oreille contre la porte.

— Vicky, mon amour, appelait Richard d'une voix tendre et douce.

— Je suis dans mon bain, cria-t-elle.

— Je peux rentrer ? Je ne vous ai pas encore embrassée depuis ce matin.

— Non, excusez-moi. Je suis dans l'eau et je ne peux pas atteindre la porte, dit-elle, étonnée de mentir aussi facilement.

— Pourquoi vous êtes-vous enfermée ? Ce n'est pas dans vos habitudes.

— Désolée. Je... Je n'en ai plus pour longtemps.

Elle se sentit mal, et s'agrippa des deux mains au lavabo. Sans l'accident de cet après-midi, elle serait déjà dans ses bras, frémissante de désir sous le feu de ses baisers.

— J'ai presque fini !

— Combien de temps allez-vous me faire attendre ? Je vous donne dix minutes ! Entendez-vous ?

Quel hypocrite ! Et quel ton impérieux ! Comment avait-elle pu éprouver autant de plaisir à se soumettre à ses exigences autoritaires ?

Le grand miroir ovale lui renvoyait une image affligeante. Dix minutes ne suffiraient pas pour se composer un visage présentable. Et si elle allait s'expliquer avec lui une bonne fois pour toutes ? Pourtant, il valait mieux réfléchir aux conséquences d'une discussion. Elle n'en avait guère le loisir pour le moment ; le désenchantement lui avait causé un choc trop cruel. Un flot de questions nouvelles l'assaillaient. Peut-être aimait-il toujours Louisa Austin ? Où passait-il donc ses soirées ? Avec des associés ? Vraiment ? Et de quelles affaires s'agissait-il ? Il serait fort difficile d'obtenir tous ces éclaircissements...

Et s'il revoyait Louisa ? Cela n'était pas invraisemblable. Il l'aurait probablement épousée, si la fortune de son père avait été plus conséquente. L'idée du prochain héritage de sa tante lui traversa l'esprit.

Elle ferma les yeux, et émit un petit gémissement plaintif. Quelqu'un avait dit un jour en parlant d'elle qu'elle était le genre de fille dont on pourrait facilement abuser. C'est ce qui s'était produit... Maintenant, Louisa était sur le point de devenir riche et...

La voix pressante de Richard retentit à nouveau :

— Vicky, je ne vous entends pas. Je commence à me demander si vous êtes réellement en train de prendre un bain ?

— Mais si ! lança Vicky, prenant conscience tout à coup de la moiteur de son front et de ses mains.

Elle se sentait perdue, désespérée, prête à s'évanouir. Un sentiment de solitude extrême la submergeait. Elle n'avait plus rien à quoi se raccrocher, même pas à son père, en qui jusqu'à présent elle avait trouvé un appui solide. Elle était seule, abandonnée, maltraitée, peut-être même méprisée. La tendresse feinte de Richard devait cacher un profond dédain.

— Tout va bien, ma chérie ?

Ce ton d'inquiétude affectée l'irrita. Elle lui répondit sèchement et lui demanda de la laisser. Il poussa un profond soupir avant de s'éloigner.

Elle fit couler de l'eau dans la baignoire et dans le lavabo, mit des compresses sur ses yeux gonflés. Elle versa des sels de bain dans l'eau et vida la baignoire. La glace était couverte de buée ; heureusement, car quand elle sortit, son mari jeta immédiatement un coup d'œil par-dessus son épaule : il ne l'avait pas crue. Il devait trouver bizarre de la voir tout habillée, si vite.

— Vous avez pleuré ? lui demanda-t-il en fronçant les sourcils.

— Non, je me suis mis du savon dans les yeux.

Vicky n'avait pas l'habitude de mentir, et elle évita le regard de Richard. Il lui prit la main et l'attira tendrement à lui.

— Laissez-moi vous embrasser, ma chérie.

Il la regardait attentivement, examinant ses yeux et ses joues rougies.

— Vicky, il se passe quelque chose. Qu'avez-vous ? Où êtes-vous allée aujourd'hui ?

— En ville. J'avais des courses à faire.

— Vous avez pris la voiture ?

Elle fit oui de la tête. Richard, après avoir accueilli son nouveau cadeau d'un silence glacial, avait consenti à l'essayer. Il avait fini par la complimenter. Elle avait vite oublié sa déception, et ils s'étaient réconciliés. Une fois de plus, elle avait cru à ses sourires, à ses excuses.

Il lui souriait à présent, de la même façon charmante et irrésistible. Elle eut presque envie de lui parler de son père et de son intention de prendre sa retraite. Mais elle se retint. Cela ne devait guère l'intéresser, elle le savait à présent. Il n'était pas directement concerné. Le gouffre qui les séparait se creusait irrémédiablement...

7

Vicky restait prostrée depuis ce fatal après-midi où elle avait surpris la conversation de John Bailey et de son ami. Elle était dans un état permanent d'accablement extrême. Quelles décisions prendre à la clarté de ces informations nouvelles ? D'un côté, elle était tentée de s'expliquer une fois pour toutes avec son mari, mais la pensée de son père l'empêchait d'envisager sérieusement cette possibilité. Il en subirait forcément le contre-coup ; sa vieillesse paisible serait troublée par un chagrin dont il ne se remettrait jamais. Il commençait enfin à récolter la récompense de quarante années de travail acharné, à profiter vraiment de sa voiture, de sa maison, et de loisirs bien mérités... Sa fille tenait admirablement le rôle de châtelaine dont il avait rêvé pour elle. Avait-elle le droit de réduire tout cela à néant ? Son père lui avait tout donné, sans jamais rien lui réclamer en retour. Elle lui portait un amour plein de vénération ; ce serait se mésestimer que de l'oublier, dans son désir de blesser Richard, l'homme qui avait cyniquement accepté le marché de Wallace. Non, elle ne devait pas détruire sa tranquillité d'esprit. Elle allait donc être obligée de jouer la comédie dans ses rapports avec son mari.

Trois semaines passèrent. Elle commençait à s'habituer à son simulacre. Le soir, quand il venait la rejoindre, elle répondait aux caresses de Richard avec le même désir, la même passion qu'auparavant. Elle s'en étonnait. Mais elle l'aimait encore, et si elle n'éprouvait plus de respect pour lui, son amour, en revanche, ne mourrait jamais. Elle devait l'accepter comme une évidence, tout comme le fait que Richard ne l'aimait pas, et ne l'aimerait jamais.

Elle essayait de meubler ses journées, de se livrer à d'innombrables activités qui ne lui laissaient plus le temps de penser. C'était évidemment impossible. Comment admettre, sans un déchirement de tout son être, que la plénitude de son bonheur ne soit qu'illusoire, qu'on l'avait trompée ? Elle parvint cependant à trouver dans le sport un dérivatif à son accablement. Elle s'inscrivit au club d'équitation, et on l'engagea aussitôt à concourir dans les manifestations de la saison, dont la plus importante était le championnat de Handford. En bavardant avec Trudie, une des amies qu'elle s'était faites au club, Vicky apprit que Louisa Austin serait l'une des concurrentes.

— Elle est bonne, l'avertit Trudie. Elle obtient tous les prix de la région.

— Elle monte ici ?

— Partout !

Vicky n'avait pas encore annoncé à Richard la nouvelle de sa participation au concours hippique. Elle ne comprenait pas elle-même les raisons de ses cachotteries, puisqu'il faudrait bien un jour ou l'autre qu'il l'apprenne.

Il s'intéressait à ses performances, et la regardait souvent s'entraîner aux obstacles. Il ne manquait pas alors de la complimenter sur sa parfaite maîtrise de Cutey.

— Cette jument est très docile, lui dit Vicky, un jour où elle le rejoignait à son poste d'observation près de la clôture. C'est comme si je communiquais avec elle par télépathie.

Les joues colorées par l'air et l'exercice, les cheveux au vent, la jeune femme respirait la santé. Une lueur étrange dansa dans les yeux de Richard ; il lui sourit gentiment, lui prit la main, et ils marchèrent ainsi jusqu'au portail, la barrière entre eux deux. Ils laissèrent Cutey se reposer dans l'enclos et se repaître de bonne herbe verte. Comme ils traversaient la pelouse en direction de la maison, Richard lui demanda, d'une voix dénuée d'expression :

— Vous êtes allée voir votre père aujourd'hui ?

— Non, répondit Vicky. Je pensais passer avec lui une heure ou deux avant le dîner. Pourquoi me demandez-vous cela ? ajouta-t-elle, comme il ne disait plus rien.

Il lui jeta un de ses regards énigmatiques ; il avait l'air de réfléchir à un problème essentiel. Et quand il parla, Vicky décela au ton de sa voix, qu'il prenait des précautions :

— Je l'ai aperçu cet après-midi ; je me promenais dans les bois en bordure de sa propriété. Il n'avait pas l'air très en forme. Pas...

— Comment cela ? s'écria Vicky, affolée. Il lui est arrivé quelque chose ?

— Il n'est pas malade, ma chérie. Il ne faut pas vous inquiéter. Simplement, il avait l'air un peu pâle, c'est tout.

Son profil impassible était indéchiffrable. Pourtant, elle crut deviner en lui une certaine anxiété mêlée de regret. Une frayeur la prit : deux des amis de son père étaient morts récemment d'une crise cardiaque, respectivement âgés de cinquante-deux et cinquante-huit ans.

— Il faut absolument que j'aille le voir, bredouilla-t-elle, tout de suite.

Mais Richard la retint fermement par le bras.

— Nous irons ensemble, quand vous vous serez changée.

Elle tenta de se dégager, mais sans résultat.

— Comment était-il quand vous lui avez parlé ?

— Exactement comme d'habitude, ma chérie. Très enjoué. Il est enchanté des nouvelles orchidées de son jardinier.

Richard observait le terre-neuve. Il les devançait en courant. Il les avait accompagnés calmement, et s'ébattait maintenant sur la pelouse.

— Richard, implora-t-elle, je dois y aller, pour me tranquilliser.

— Je n'aurais pas dû vous en parler, commença-t-il, l'air un peu contrarié.

— Et pourtant, vous l'avez fait. Vous voulez m'épargner un trop grand choc, au cas où quelque chose lui arriverait... N'essayez pas de m'en dissuader, j'en suis convaincue. Vous me ménagiez, je l'ai remarqué, vous n'osiez pas me faire part de vos craintes.

— Ma chérie, vous vous faites une montagne d'un rien. Votre père n'était peut-être pas très bien, mais il est loin d'être gravement malade, comme vous êtes en train de l'imaginer.

— Je veux le voir sur-le-champ !

— Vicky ! Revenez ! Je vais vous conduire en voiture !

Mais elle avait réussi à s'échapper, et atteignait déjà le massif d'arbustes de l'entrée. Son cœur battait à tout rompre dans sa poitrine. « Pourvu qu'il ne soit rien arrivé à mon père ! » se disait-elle. « Qu'au moins il ne soit pas privé des dernières joies de la vie ! »

— Je ne le supporterais pas ! cria-t-elle, sans même se retourner.

Une grande tristesse la saisit tout à coup. Elle aurait tant aimé sentir à ses côtés la présence de Richard...

Mais elle le désirait tout en souhaitant le contraire. Elle était déchirée. Comment trouver le réconfort auprès de cet homme qui lui avait accordé l'honneur de son nom par pur intérêt ? Pour lui, seul l'argent comptait.

Hors d'haleine, elle parvint à la maison de Wallace. Elle essaya de reprendre son souffle, d'adopter une attitude plus calme et souriante. Wallace était assis dans le salon, travaillant à une table basse, un dossier sur une chaise à côté de lui, et un verre de lait par terre.

— Vicky ! lança-t-il en l'accueillant, un peu surpris. Je ne m'attendais pas à te voir à cette heure-ci ! Je pensais plutôt que tu viendrais dans la soirée, avec Richard, en vous promenant. Je vois que tu as fait du cheval. Comment va Cutey ?

— Bien, répondit-elle distraitement, le scrutant du regard. Tu vas bien, papa ?

— Je suis en pleine forme. Pourquoi cette question ?

Elle le regarda lever son verre et boire une grande gorgée de lait.

— Richard m'a dit qu'il t'avait trouvé très pâle, ce matin, quand vous vous êtes rencontrés.

— Et tu es vite accourue aux nouvelles ?

Les yeux surmontés des épais sourcils la parcoururent des pieds à la tête.

— Effectivement, ta tenue n'est pas aussi soignée que d'habitude. Il ne fallait pas t'affoler pour si peu !

Sa bouche se contracta en une grimace que Vicky ne lui avait jamais vue auparavant.

— De quel droit Richard se permet-il ?... Que t'a-t-il dit exactement ? ajouta-t-il, presque furieux.

— Rien de très alarmant, en réalité. J'avais envie de venir, c'est tout.

— Je suis en parfaite santé, je t'assure.

Il posa le verre vide que Vicky ramassa machinalement et garda dans la main.

Rassurée, elle lui adressa un de ses sourires les plus éclatants.

— Que fais-tu ? demanda-t-elle.

— Les comptes. J'ai finalement décidé de prendre ma retraite.

— J'en suis très contente, dans un sens. Tu vas avoir le temps de t'occuper de toi et de profiter de la vie.

Elle s'assit sur un petit fauteuil, de style Régence, avec de superbes incrustations de nacre sur le dossier et sur les bras. Qu'auraient pensé ces jeunes apprentis des temps lointains s'ils avaient su la valeur que prendrait leur travail ? Ils façonnaient leurs objets avec le plus grand soin, avant de les remettre au maître-artisan ; un jugement définitif était porté sur leurs œuvres, décidant de leur sort. Laissant là ces considérations, Vicky revint à la discussion présente :

— Seulement, après tant d'activités, tu risques de t'ennuyer un peu. Cela me tracasse.

— Je ne crois pas, mon enfant. Je ne me lasse pas de mon jardin, de ma maison, et je t'ai tout près... Et, qui sait ?... ajouta-t-il en laissant errer son regard sur sa fille, j'aurai peut-être des petits-enfants, dans un avenir pas trop lointain. Ils viendront me rendre visite ; ils s'assieront sur mes genoux pour écouter mes histoires. Tu te rappelles comme tu les aimais ?

Il rit de la voir rougir. Le jour où elle s'apercevrait qu'elle attendait un heureux événement, elle le lui annoncerait tout de suite.

Cette idée n'avait jamais effleuré Vicky, et elle en fut très étonnée. Hélas, dans sa situation actuelle, elle n'avait aucun désir d'avoir des enfants de Richard...

Pourtant, c'est ce qui se produirait fatalement, à moins...

Elle frissonna, mais son réalisme inné l'aida à reprendre le dessus et à y voir clair. Depuis quelque temps, son esprit était sorti de la torpeur dans laquelle il avait sombré. Elle n'était plus à l'abri de la souffrance ; un mot un peu vif de Richard lui faisait aussi mal qu'un coup de poignard en plein cœur. Le plaisir qu'il prenait à leurs étreintes la dégoûtait. C'était de la luxure, pensait-elle, puisqu'il ne l'aimait pas. Elle-même se trouvait méprisable d'être incapable de maîtriser ses propres désirs.

Il ne lui restait qu'une chose à faire pour retrouver sa tranquillité d'esprit et mettre un terme à son humiliation : s'expliquer avec Richard.

L'occasion se présenta plus tôt que prévu ; la nuit même qui suivit sa décision. Elle était dans sa chambre, et regardait par la fenêtre le jardin noyé dans le clair de lune. Richard s'approcha d'elle. Il serait absent toute la journée du lendemain, et ne rentrerait que tard dans la nuit, lui annonça-t-il. Vicky se retourna lentement, et sentit la colère monter en elle. Calme et désinvolte, il lui annonçait son départ pour le jour suivant, mais, pour le moment... il entendait disposer de son corps pour son plaisir !

— J'aimerais discuter de quelque chose avec vous, Richard, mais je veux d'abord votre parole d'honneur que mon père ne saura jamais rien de notre conversation.

Elle s'émerveillait de son propre sang-froid, et ne laissait rien paraître du trouble qui faisait battre son cœur un peu trop vite. Richard, interloqué, la regardait fixement d'un air interrogateur. Les mâchoires serrées, il paraissait tendu.

— Je ne comprends pas très bien, Vicky, quelle promesse vous attendez de moi.

Elle observa son long corps mince, vêtu d'une robe de chambre de soie verte, ornée de dragons rouges. Puis elle le dévisagea avec insistance.

— Vous m'avez parfaitement comprise, Richard. Nous avons à parler de graves problèmes, et je ne veux absolument pas que mon père soit mis au courant. Il avait l'air en bonne santé quand je l'ai vu tout à l'heure, mais j'ai de bonnes raisons de croire qu'il n'est pas vraiment lui-même ces temps-ci.

— Visiblement, vous êtes au courant de sa décision de se retirer des affaires, dit-il en clignant des yeux.

— J'ignorais que vous le saviez, répondit-elle, surprise.

— Il m'en a fait part. Cette discussion, Vicky...

— Elle nous concerne, vous et moi. Mais d'abord, votre promesse. C'est important, Richard.

— Je vous la donne.

Il avait l'air inquiet ; avait-il deviné le sujet qu'elle voulait aborder ?

— Merci, commença-t-elle d'une voix ferme, parfaitement maîtresse de ses paroles. Je suis au courant de l'arrangement que vous avez conclu avec mon père au sujet de notre mariage.

Seul le tic-tac de la lourde pendule troublait maintenant le profond silence. Richard portait sur son visage figé un masque impénétrable. Malgré son apparence très calme, le cœur de Vicky battait à tout rompre.

— Et comment l'avez-vous découvert ?

Sa voix, mesurée, sans une trace d'émotion, brisa le silence. Seul un pli d'amertume aux coins de sa bouche trahissait un léger trouble.

— Vous ne niez pas ?

— Non, Vicky, je... je ne peux pas.

— C'est donc vrai ?

Elle se rendait compte, maintenant seulement, qu'elle avait attendu de tout son être un démenti. Elle aurait accepté n'importe quelle explication.

— Oui, mais... reprit Richard, sans finir sa phrase, malmenant nerveusement la ceinture de sa robe de chambre, comment l'avez-vous découvert ? répéta-t-il.

— Le jour où j'étais à Buxton...

Elle lui raconta toute l'histoire. Alors il abandonna son air flegmatique et imperturbable.

— Je suis désolé de la façon dont vous l'avez appris,

dit-il d'une voix rauque lorsqu'elle eut fini. Les apparences dissimulent un grand nombre de faits que vous ignorez, mais jamais je ne pourrai vous convaincre de...

— Mon père a réellement payé vos dettes ? interrompit Vicky d'une petite voix sèche.

— Oui, répondit-il en grinçant des dents.

En le regardant à nouveau, elle ne perçut aucun signe d'humilité dans son attitude, seulement du regret. Elle s'étonna du calme avec lequel elle posa sa question :

— A l'époque où mon père vous a fait cette proposition pour la première fois, vous disant le plaisir que notre mariage lui procurerait, aimiez-vous Louisa Austin ?

Richard se détourna et se perdit dans la contemplation de l'obscurité étoilée qui enveloppait la lande mystérieuse.

— Oui, finit-il par admettre. A ce moment-là, elle me plaisait beaucoup.

Vicky sentit ses forces l'abandonner et ses jambes se dérober sous elle. Elle le savait, bien sûr, mais d'entendre son mari l'admettre de son propre aveu lui transperça le cœur.

Aimer une jeune fille, en épouser une autre...

— Elle a dû beaucoup souffrir, dit-elle.

Un profond sillon creusait le front de Richard ; ses yeux gris trahissaient son embarras.

— Vous en parlez si froidement, commença-t-il... Vicky, ma chérie...

— Ne m'appelez plus jamais ainsi ! Vous m'entendez ? Plus jamais, je vous l'interdis ! Vous osez parler de calme et de froideur ! lança-t-elle, secouée par un rire hystérique. Combien mon père vous a-t-il payé pour que vous m'accordiez l'honneur de porter votre nom illustre ?

— Vicky...

— Répondez ! Combien ?

— C'est une question à laquelle je ne répondrai pas, répliqua-t-il durement.

— Je peux deviner. La moitié de son capital, probablement.

Richard ne fit aucun commentaire, et son expression impassible ne lui livra pas la moindre indication quant à l'exactitude de son estimation.

— Je dois admettre, reprit-elle sur un ton plus calme, que vous avez très habilement réussi à me tromper. Mon père vous a-t-il extorqué la promesse de ne jamais me laisser soupçonner que vous ne m'aimez pas ?

— Vicky, dit-il, ignorant sa question, vous êtes loin de... Non, ne m'interrompez pas, reprit-il sévèrement comme elle ouvrait la bouche pour prendre la parole. Je ne veux même pas essayer de me justifier. Je savais ce que je faisais. Mais...

Il s'arrêta, le regard plongé dans ses yeux, pour bien la pénétrer de ses paroles :

— Il y a autre chose derrière le sordide arrangement conclu avec votre père...

— C'est impossible, jeta-t-elle, et je suis contente de vous entendre qualifier cette affaire de sordide ! Quel homme êtes-vous donc ? Je vous hais ! Je vous haïrai toute ma vie !

Il protesta d'un signe de tête.

— Non, ce n'est pas possible ! Je ne peux pas croire...

— Qu'est-ce que cela peut vous faire de toute façon ? Vous avez l'argent, c'est tout ce qui vous intéresse. J'avais l'intention de rester avec vous, à cause de père. J'ai donc gardé cette histoire pour moi le plus longtemps possible...

— Depuis combien de temps êtes-vous au courant ? coupa Richard.

En lui avouant la vérité, elle put voir ses rides se creuser davantage.

— Mes compliments. Vous jouez très bien la comédie.

— C'était pour mon père.

Elle détourna le regard.

Richard sembla réprimer un commentaire, et revint à leurs propos précédents :

— Vous aviez l'intention de rester, dites-vous. Cela signifie-t-il que vous avez changé d'avis ?

Elle hésita ; en réalité, elle n'avait pas les idées très claires à ce sujet.

— Je n'ai pas encore eu le temps de décider de mon avenir...

Il ne remarqua pas l'émotion qui étranglait sa voix.

— Pourquoi avez-vous entrepris de me dévoiler tout ceci après trois semaines de secret ?

Quel ton glacial ! Pourtant, elle vit sa gorge se contracter, signe chez lui d'une grande émotion intérieure.

— J'ai d'abord pensé qu'il était de mon devoir de me taire. Je ne voulais pas inquiéter mon père. Mais avec votre promesse, je n'ai plus rien à craindre de ce côté-là.

Il attendait la véritable raison, qu'elle finit par lui avouer d'une voix défaillante :

— Je ne voulais pas me trouver enceinte d'un enfant de vous...

Un silence oppressant s'abattit sur eux. Vicky fut stupéfaite de voir combien il avait pâli.

— Je vois, murmura-t-il d'une voix altérée. Dois-je comprendre que vous désirez mettre un terme à nos relations intimes ?

A cet instant, Vicky fut sur le point de se jeter dans ses bras, folle d'un désir éperdu. D'un baiser, il aurait alors effacé la douleur qui la dévastait. Mais, relevant la tête, elle lui décocha un regard dédaigneux et le confirma dans ses conclusions.

Richard semblait accablé ; la détresse et le regret amer de ses paroles échappèrent à Vicky :

— Vicky chérie, je suis désolé, tellement...

— Non ! s'écria-t-elle, furieuse. Je vous en prie ! Ne faites pas semblant d'éprouver des remords.

— Je n'arriverai pas à vous convaincre, admit-il. Mais un jour, je pourrai peut-être...

Il se tut, accablé par le poids du désespoir.

— Inutile de vous fabriquer des excuses, vous ne me prendrez plus à votre jeu.

Vicky tremblait de colère, interprétant le manque de réaction de Richard comme de l'indifférence. Elle reprit, plus calme :

— Souvenez-vous de votre promesse.

— Je suis un homme d'honneur, Vicky.

— J'espère, bien que cela m'étonne de vous.

Ignorant cette dernière remarque, il reprit :

— Apparemment, vous n'êtes pas fâchée contre votre père ?

— Je lui ai pardonné. Je ne veux pas le priver du bonheur de sa vieillesse.

— Et moi, vous ne me pardonnez pas ?

— Je n'oublierai jamais le mal que vous m'avez fait. Je ne peux pas pardonner tant de cruauté, de méchanceté...

— Vicky, ma chérie, je sais ce que vous ressentez, je comprends votre douleur. Je...

— Je vous aimais, coupa-t-elle, dans un effort désespéré pour réprimer ses larmes. C'est fini maintenant.

Souvent par la suite, Vicky se rappela le silence de mort qui avait alors envahi la pièce, sans en comprendre le sens profond. Richard était blême ; il avait chancelé. Il serrait les poings avec tant de force que les os des phalanges semblaient sur le point de déchirer la peau tendue.

— Je ne peux rien ajouter de plus pour ce soir, Vicky, lui dit-il enfin sur un ton d'extrême lassitude. Bonsoir, ma chérie.

Il la laissa seule, et elle resta debout un long moment, à regarder d'un air hébété la porte refermée.

C'est ce qu'elle avait voulu. Elle ferma les yeux et laissa ses larmes inonder son visage. Peu après, elle se laissa tomber sur son lit, éteignit la lumière, se demandant si elle pourrait jamais trouver le sommeil.

Le lendemain matin, elle se leva avec un poids écrasant sur le cœur. Incapable de rien avaler, elle se promena dans le jardin, Kaliph sur ses talons. A midi, elle essaya de grignoter un peu. Elle avait envie d'aller voir son père, mais dans cet état, c'était impossible. Pendant l'après-midi entière, elle erra sur la lande, cherchant une issue à sa situation. Mais un mur se dressait devant elle, qu'elle ne pouvait franchir. Elle se sentit découragée, terrifiée devant la perspective qui s'offrait à elle : sa vie serait désormais sans amour et sans joie.

Le soir tombait, et elle était encore loin du manoir. Elle décida de couper à travers la campagne. Elle sursauta en apercevant soudain une silhouette émerger de derrière la crête de la colline. Un homme ! La peur la saisit, et elle eut envie de se mettre à courir. Mais il était sur son chemin, et s'enfuir de l'autre côté la ferait s'enfoncer plus avant dans la campagne menaçante.

Elle se résolut à poursuivre sa route d'un bon pas, comme si elle ne craignait rien. Les derniers rayons du soleil disparaissaient, plongeant les collines dans une obscurité grisâtre. Vicky n'était pas rassurée, sans le chien à ses côtés. En reconnaissant John Bailey, elle poussa un soupir de soulagement. Que faisait-il ici, à une heure pareille ?

— Madame Sherrand ! Je suis bien content de vous voir ! Je suis complètement perdu !

— Ah bon ? Que faites-vous dans le coin ?

— Je relève les terres de la vieille dame, dit-il, indiquant du regard le gros dossier qu'il tenait à la main. J'ai laissé ma voiture près d'une carrière désaffectée ; je ne la retrouve plus ! Voilà une heure et demie que je marche, et je tourne en rond !

Il avait l'air inquiet pour sa voiture.

— Quel désert, se plaignit-il. Après tout, ce n'est peut-être pas un si bon terrain à bâtir !

— Je vous avais prévenu !

— Dans quelle direction se trouve le manoir ? Si vous le permettez, je vais vous accompagner. Vous rentrez chez vous, je suppose ?

— Oui. Venez avec moi. Je prendrai mon auto, et nous partirons chercher la vôtre.

— C'est très gentil à vous, dit-il, reconnaissant.

— Vous n'avez pas emporté votre carte ?

— Si, mais comme je n'ai pas la moindre idée de l'endroit où je suis,.. expliqua-t-il en riant.

De gros nuages menaçaient à l'horizon, et ils pressèrent le pas.

— Quelle chance j'ai eu de vous rencontrer ! reprit John Bailey. Une fois la nuit tombée, j'aurais pu errer jusqu'au matin !

Surmontant sa timidité, il demanda à Vicky ce qu'elle faisait là si tard.

— J'avais besoin d'une longue promenade, répondit-elle.

— Votre mari doit s'inquiéter. L'heure du dîner est sûrement passée ?

— Mon mari est absent, et je ne me donnerai pas la peine de dîner. Vous avez faim ? demanda-t-elle.

— Mon dernier repas remonte à plus de huit heures ! Je pensais m'arrêter sur le chemin du retour, mais tous les restaurants seront fermés avant que je retrouve la civilisation !

Vicky réfléchissait. Que dirait Richard si elle invitait un étranger à sa table ? De toute façon, peu lui importait. Et puis, il n'était pas là.

— Si vous voulez, vous pouvez partager mon repas, finit-elle par suggérer.

— C'est très aimable à vous. A vrai dire, je meurs de faim !

Pourquoi désirait-elle tant la compagnie de ce jeune homme ? La solitude lui avait pesé tout au long de cette journée. N'importe qui aurait été le bienvenu.

— Si vous préférez, nous pouvons nous restaurer avant de partir à la recherche de votre voiture ?

Mais l'inquiétude de John Bailey était plus forte que sa faim.

— Je serais moins soucieux si c'était celle de la société ! expliqua-t-il avec une grimace.

— Nous devrions nous dépêcher ; il va pleuvoir cette fois.

Ils allongèrent le pas et Vicky était presque obligée de courir pour le suivre. Il admira son allure sportive. Il lui avoua qu'elle ne correspondait pas à l'épouse de Richard Sherrand, selon l'image qu'il s'en était faite. Comme elle lui demandait plus de précisions, il s'embrouilla quelque peu.

— C'est-à-dire... Oh ! J'ai peur de ne pas me montrer très diplomate... s'accusa-t-il, d'un air piteux.

— Vous me trouvez trop jeune ?

Vicky n'avait pas la conscience parfaitement tranquille. La femme de Richard Sherrand aurait dû faire preuve de cette dignité hautaine qui l'aurait placée d'emblée au-dessus d'une telle conversation. Mais elle n'appartenait pas au même rang social. De toute façon, John Bailey connaissait son histoire et sa situation ; ce n'était pas la peine de vouloir les cacher à tout prix. Il était intelligent. Et il avait dû deviner, à la voir se promener ainsi, seule sur la lande, que quelque chose, entre son mari et elle n'allait pas.

— Oui, disait John. Et vous êtes tellement simple et sympathique.

— Je suis de la campagne, du Lancashire. Les gens de là-bas ne sont pas spécialement renfermés.

La plus petite marque d'amitié aurait fait à Vicky un plaisir immense. Son esprit recelait désormais de sombres certitudes ; son mariage était raté, sa vie n'avait plus d'importance. Ce jeune homme à ses côtés ne demandait qu'un signe d'encouragement, et ils seraient devenus amis...

Enfin, ils arrivèrent. Vicky demanda qu'on leur prépare un repas et conduisit John dans sa voiture, vers les endroits où il serait susceptible de retrouver la sienne. La chance les servit, car les nuages disparurent comme par enchantement, et la lune se leva.

— Cela va nous aider sérieusement, s'exclama John en poussant un soupir de soulagement. Ma voiture est bleu foncé, et je commençais à craindre de ne jamais la retrouver dans cette nuit noire.

Ils scrutait un côté de la route, et Vicky l'autre. Ils ne laissèrent rien au hasard, et examinèrent le moindre sentier. Au bout de longues recherches, ils finirent par l'apercevoir.

A leur retour, la cuisinière ne semblait pas contente du tout d'avoir eu à garder le repas au chaud pendant tout ce temps. Elle jeta à John un curieux regard avant de s'adresser à Vicky :

— Vous m'aviez dit une demi-heure, madame. Cela va faire une heure !

— Excusez-moi, dit Vicky. Vous pouvez servir.

— Très bien, madame.

Elle quitta la pièce en lançant de nouveau à John un regard singulier.

Vicky rougit, embarrassée d'avoir dû présenter des excuses à une domestique devant John.

Il ne se gêna pas pour commenter franchement l'incident :

— Cette cuisinière ne me plaît guère ! Si elle était mon employée, je n'aurais pas mâché mes mots, croyez-moi !

Vicky se mordit la lèvre, au bord des larmes.

— Voulez-vous vous laver les mains ? C'est la deuxième porte à droite.

Quand il revint, elle lui offrit l'apéritif, et alla faire un brin de toilette. Quand elle retrouva son invité, il ne put s'empêcher de la complimenter :

— Vous êtes ravissante, madame Sherrand !

Ils se turent pendant quelques instants. Vicky se sentait prête à fondre en larmes s'il se montrait trop aimable et lui manifestait sa sympathie de cette façon-là. Elle lui dit doucement :

— Merci, monsieur Bailey. Euh... si vous avez fini votre verre, nous pouvons passer à table.

Il la suivit. Elle lui indiqua sa place, mais il la fit asseoir d'abord. John se jeta littéralement sur la nourriture, en s'excusant de se resservir de poulet.

— Ne vous excusez pas. C'est tout naturel. Vous devez mourir de faim.

— Je me sens déjà mieux. Je ne sais comment vous remercier.

Ses grands yeux limpides s'attardèrent sur le visage de Vicky.

— Avez-vous l'esprit pratique ? s'enquit-il.

Que voulait-il dire ? Pensait-il à son mariage. Il la croyait peut-être complice de cet odieux marché, et ravie de vivre à présent dans une si belle demeure. Il ne devait pas avoir une haute idée de ses principes et de ses sentiments. Cette pensée la répugnait, mais elle ne pouvait pas le détromper en lui avouant la vérité.

— Mon père est un homme pratique, finit-elle par lui répondre, et je tiens de lui.

— Il habite par ici ?

— Oui, de l'autre côté de la colline, dans la maison neuve.

— Mon Dieu ! Alors j'ai commis un terrible impair le premier jour !

Il avait un air comique tant il paraissait ennuyé, arrêté dans son mouvement, la fourchette à la main.

— Oui, plutôt ! répondit-elle, surprise elle-même de pouvoir en rire.

— Pourquoi ne m'avez-vous rien dit ? Cela m'aurait évité de me montrer aussi grossier.

— Ce n'est pas important. Ce n'était pas délibéré de votre part... Il y a des fruits comme dessert, ou du gâteau.

Il choisit du gâteau. Il était aussi à l'aise que chez lui, remarqua Vicky, étonnée de découvrir qu'elle prenait plaisir à sa compagnie, et qu'elle avait mangé de façon très détendue.

Son compagnon lui jetait des regards admiratifs, elle n'était pas sans le noter. Il était subjugué par sa beauté, par son charme irrésistible, sa bouche vermeille, ses yeux sérieux frangés de longs cils noirs, son grand front sous les cheveux brillants aux mèches d'or...

Vingt minutes plus tard, il était dans le vestibule, évaluant d'un air malheureux le temps qu'il lui faudrait pour rentrer chez lui.

— Minuit moins le quart ! s'écria Vicky. J'étais loin de me douter qu'il était si tard !

— La nuit tombait déjà sur la lande avant notre retour, et nous avons mis du temps à retrouver ma voiture !

— Eh bien, je vous souhaite un bon voyage...

Un crissement de pneus se fit entendre sur le gravier.

— Mon mari. Peut-être devriez-vous passer la nuit ici ? Il est si tard, et vous devez être très fatigué. Voulez-vous que je lui en parle ?

— Eh bien... Si vous croyez...

Il n'avait pas envie de repartir, c'était évident. La porte s'ouvrit à ce moment-là, et Vicky expliqua la présence de John ; elle rappela à Richard que son nom ne devait pas lui être inconnu. D'ailleurs, les deux hommes s'étaient déjà rencontrés. Richard ne sembla pas enchanté à l'idée de devoir l'héberger pour la nuit, mais John, occupé à renouer le lacet de son soulier, ne remarqua pas son hésitation. En revanche, elle n'échappa pas à Vicky, qui releva le menton d'un air de défi et regarda son mari droit dans les yeux.

— Très bien, murmura Richard. M. Bailey peut rester coucher ici.

— Merci, monsieur Sherrand, dit John en évitant le regard de la jeune femme. La perspective de retourner à Manchester ne me réjouissait guère, si tard, sur ces mauvaises routes.

Vicky, quelques instants après, s'apprêtait à se mettre au lit quand son mari frappa à sa porte et entra sans même attendre sa réponse.

— Que faisiez-vous donc sur la lande après la tombée du jour ? demanda-t-il sévèrement.

— La nuit n'était pas encore tombée, répondit-elle brièvement.

Elle sentait une colère sourde dans sa façon de la dévisager froidement.

— Vous êtes restée dehors combien de temps ?

— Tout l'après-midi...

— Vous ne devriez pas. C'est trop désert pour une femme seule !

— Vous n'allez tout de même pas prétendre vous inquiéter pour moi !

Elle l'accablait de son dédain.

— En dépit des conclusions auxquelles vous êtes parvenue, Vicky, reprit-il d'une voix où les accents de colère avaient disparu, je tiens beaucoup à vous. Vous êtes ma femme...

— Pourtant, ma mort vous enrichirait encore ! Si on m'assassinait, au cours de mes promenades solitaires...

— Ça suffit ! hurla-t-il, s'approchant d'elle. L'argent de votre héritage ne m'intéresse pas !

— Vous en avez assez maintenant ! Combien mon père vous a-t-il payé pour m'épouser ?

Il fit un autre pas dans sa direction, et lui lança un avertissement :

— Je ne suis pas d'humeur à supporter humblement les coups de vos insultes !

— Que se passe-t-il ? demanda-t-elle, en proie à une violence incontrôlable. Vous vous êtes disputé avec Louisa ?

— Je n'ai pas vu Louisa !

— Je ne vous crois pas, jeta-t-elle, méprisante. Vous l'aimez, vous l'avez avoué vous-même. Vos soi-disant rendez-vous d'affaires sont un alibi très commode et vraisemblable, mais je ne suis pas dupe.

Elle avait haussé le ton, et ses sarcasmes mettaient son mari au comble de la fureur.

— Prenez garde, lui dit-il, blanc de rage. Je vous ai supportée avec beaucoup de douceur jusqu'à présent. Mais il y un côté de ma nature que vous seriez peut-être désagréablement surprise de découvrir !

Elle se rappela le jour où précisément elle avait été frappée par la dureté presque cruelle de ses traits. Il était alors aux prises avec de terribles soucis financiers : criblé de dettes, harcelé par sa belle-mère, son domaine menacé d'être vendu aux enchères. Elle le regarda. Il se calmait, son visage était plus détendu. Comme il était séduisant ! Elle en ressentit une douleur intolérable, presque physique. Elle aurait tant voulu qu'il la prenne dans ses bras, la couvre de ses baisers passionnés et la porte sur... Mais elle coupa court à sa rêverie : il ne l'aimait pas, elle ne se ferait pas complice d'un désir coupable.

— Vicky, pourquoi vagabonder ainsi, seule dans

cette campagne désolée ? reprenait-il. Le chien n'était pas avec vous ?

— Non.

— Vous ne devez jamais recommencer. Promettez-le-moi, soupira-t-il.

Elle releva la tête.

— Non. Je ferai ce qui me plaît.

Sa voix était pleine de défi, mais les larmes n'étaient pas loin.

— Mon Dieu ! Vous ferez ce que je vous dirai de faire, vous m'entendez ? Et je vous interdis désormais d'aller vous promener toute seule. C'est compris ?

Il était tout près d'elle, la dominant de toute sa hauteur. Sa détermination farouche effraya Vicky. Son cœur battait à tout rompre. Elle n'avait certes pas l'intention de tenir compte de ses ordres, mais elle avait hâte de mettre fin à cette scène pénible.

— Oui, Richard, dit-elle avec le plus d'humilité possible.

— Voilà qui est mieux !

Et il quitta la pièce, en prenant soin de fermer brutalement la porte de communication.

8

Vicky se leva de bonne heure le lendemain matin.
John Bailey l'avait devancée. Elle l'aperçut dehors,
dans le jardin, et tout naturellement sortit le rejoindre,
essayant de répondre à son sourire.

— J'ai oublié, hier soir, lui dit-elle après l'avoir
salué, mais j'aurais dû vous proposer de téléphoner
chez vous pour prévenir ?

— Je vis seul, lui apprit-il. J'ai un appartement, et
je n'ai de comptes à rendre à personne. Je me mettrai
en route vers les neuf heures, continua-t-il, et après-
demain, je reviendrai voir la vieille dame.

— Pour la lande ? Pourtant, vous l'avez constaté, ce
sont des terres sans valeur.

— Elle vend d'autres terrains près de Wellsover qui
nous intéressent aussi.

Il observait son visage pâle, les coins amers de sa
bouche et ses yeux voilés de tristesse.

— Puis-je vous revoir quand je reviendrai ? risqua-
t-il.

Elle fronça légèrement les sourcils, faillit dire oui et
se ravisa.

— Je ne comprends pas très bien... murmura-t-elle.

— Mais si... Vicky.

Elle avala avec difficulté ; les choses allaient trop vite pour elle.

— Comment savez-vous mon nom ? demanda-t-elle pour gagner du temps.

Si Richard regardait par la fenêtre, il les verrait. Elle se mit à marcher vers une charmille ; ils seraient à l'abri, cachés par les feuillages.

— J'ai entendu votre mari vous appeler ainsi. Vous n'êtes pas heureuse, n'est-ce pas ? ajouta-t-il au bout d'un moment, en pesant ses mots.

— Cela se voit donc autant ?

Elle avait prononcé ces paroles sans même s'en rendre compte.

— Oui, Vicky, cela crève les yeux.

— Vous n'êtes pas sans l'ignorer, mon mari...

Elle s'arrêta net, épouvantée de ce qu'elle allait dire.

— Je sais, continua la voix à ses côtés ; il vous a épousée pour votre argent. Mais comment saviez-vous que j'étais au courant ?

Vicky avait la gorge sèche. Oui, on l'avait épousée pour sa dot. C'était très humiliant pour elle d'en parler. Les attentions de ce jeune homme la touchaient. Elle avait besoin de se confier, et la présence de John était providentielle.

— J'ai surpris votre conversation avec votre collègue. Il vous racontait comment mon mari avait trouvé l'argent lui permettant de soustraire ses terres à la vente.

John se tourna vers elle. Sa voix était pleine de détresse.

— Mais c'est horrible ! Comment diable cela a-t-il pu parvenir à vos oreilles ? Vous avez tout entendu ?

— Non, simplement le début de votre conversation, lui dit-elle. Je flânais devant les vitrines, tout près de vous. Mais c'est sans importance... Si nous allions prendre le petit déjeuner ? suggéra-t-elle.

Il lui prit le bras et la poussa doucement à l'abri de la charmille.

— Attendez un peu.

Quand ils furent cachés des regards, il lui prit la main. Elle ne se défendit pas, et en fut certainement aussi surprise que lui.

— Je suis désolé de vous avoir infligé pareille torture, dit-il d'une voix troublée. Je ne pouvais pas savoir...

— Vous n'y pouviez rien, John.

Il posa sur elle un regard étrange.

— Vous vous rendez compte ? Vous venez de m'appeler par mon prénom ! Et si naturellement ! On nous aurait pris pour de vieilles connaissances.

Elle était un peu abasourdie, mais essaya de n'en rien laisser paraître. Elle avait besoin de son amitié. Elle ne pouvait se confier à son père, n'avait ni frères ni sœurs, même pas de camarades assez intimes. Ce jeune homme lui offrait aimablement sa sympathie, et elle lui en était reconnaissante.

— Vicky, nous allons devenir amis, voulez-vous ?

— J'aimerais bien, John.

Les mains qui tenaient la sienne ressemblaient à celles de son père : trapues, mais chaudes et réconfortantes. Comme celles de Richard étaient différentes, longues, puissantes, dont on devinait d'instinct combien elles pouvaient faire mal.

— Vous êtes si séduisante, Vicky... Je ne comprends pas votre mari. Comment a-t-il fait pour ne pas tomber amoureux de vous ? Même s'il vous a épousée pour d'autres motifs.

— Il en aime une autre.

Elle s'émerveillait de sa façon froide et objective de mener la conversation. Sa voix ne trahissait aucun émoi, elle ne ressentait aucune douleur. Le déroulement des événements la plongeait dans une profonde stupeur, la protégeant du martyre qu'elle aurait dû endurer. Elle était dans un état second.

— Mais... Si vite... dit-il, incrédule. C'est impossible. Vous êtes mariés depuis combien de temps ?

— Il l'aimait avant notre mariage.

— Grands dieux ! Il l'aurait abandonnée par pur intérêt ? Pour de l'argent ?

— Le père de cette jeune fille connaît également de graves problèmes financiers.

Elle s'arrêta, toute tremblante.

— Je ne veux plus en parler, John, ajouta-t-elle d'une voix étranglée.

— Vicky, puis-je vous poser une question ?

— Je crois l'avoir devinée. Oui, je l'aime.

Osant enfin rompre le lourd et écrasant silence, il avoua :

— J'ai d'abord pensé que vous aviez vous-même accepté le marché. Je sais maintenant que vous en êtes incapable. Pauvre enfant !

Il voulut la prendre dans ses bras, mais elle s'écarta de lui. Son mari allait se demander où ils étaient...

Effectivement, Richard s'était levé dix minutes après sa femme, et, peu après que John fut parti après avoir convenu d'un rendez-vous pour le surlendemain, il demanda à Vicky, essayant de réprimer sa colère :

— Combien de temps êtes-vous restée dehors avec lui ?

— Jusqu'au petit déjeuner. Je serais rentrée plus tôt si j'avais su que vous étiez debout. Mais vous n'aviez probablement pas envie de déjeuner avec nous. Vous préfériez être seul !

— Vicky, vous savez que ce n'est pas vrai ! J'ai déjeuné seul, contrairement à mes habitudes, vous croyant dans votre chambre. C'est en regardant par la fenêtre que je vous ai aperçue dans le jardin, en compagnie de ce M. Bailey.

Il parut souffrir de la voir si blême.

112

— Je vous ai posé une question, reprit-il.

— Environ une demi-heure.

— Un peu plus longtemps, je crois.

— Alors une heure. Quelle importance ?

— A quel jeu jouez-vous ? demanda-t-il, d'une voix basse et chagrinée. Que signifie cette nouvelle attitude ?

— Evidemment, cela ne doit guère vous plaire de ne plus me voir craintive et malléable.

— Non, vous êtes simplement naïve et timide, rectifia-t-il, presque tendre. Vous savez, j'ai des difficultés à vous l'expliquer, mais, comme je vous l'ai déjà dit, les apparences cachent énormément de choses, dans l'affaire de notre mariage.

— Affaire est le mot juste, en effet. Tout le reste ne m'intéresse pas.

Et elle le planta là, dans le hall, complètement désarçonné.

Elle se dirigea vers l'enclos, sella Cutey, et passa voir son père avant d'aller au club. Wallace était dans son bureau. La visite de sa fille le surprit en plein travail. Le cœur de Vicky se serra en remarquant sa peau grisâtre et ses traits tirés.

— Père... tout va bien ?

Il n'avait pas l'air vraiment malade, le jour où elle s'était tant inquiétée, mais il n'était sûrement pas en parfaite santé. Ses doutes se confirmaient.

— Tu n'es pas très en forme, papa.

— Ah bon ?

Il essaya de paraître surpris, de donner le change pour se tirer au plus vite d'une situation gênante.

— Pourquoi dis-tu cela, mon trésor ? Ton vieux papa est toujours plein d'entrain, tu le sais bien.

Il fit le tour du bureau pour venir lui planter un gros baiser sonore sur la joue.

— Tu vas faire du cheval ?

— Plus maintenant, papa. Je vais appeler le médecin.

— Surtout pas ! s'écria-t-il. Ote ces sottises de ta tête, mon agneau joli. Je vais très bien, je t'assure.

Vicky l'observa à nouveau, nullement rassurée.

— Laisse-moi faire, l'implora-t-elle.

— Pourquoi ne m'as-tu pas téléphoné avant de venir ?

Il était contrarié.

— Je suis juste passée en coup de vent.

Il baissa les yeux sous son regard scrutateur, ce qui ne fit qu'accroître l'inquiétude de sa fille. Bientôt, il n'essaya plus de nier et avoua :

— Je n'ai pas très bonne mine, je le reconnais. Mais ce n'est pas si grave...

— Que veux-tu dire ?

Il fixait la moquette, les mains crispées.

— C'est mon vieux cœur, ma chérie, expliqua-t-il soudain. Ne t'affole pas et ne va pas te mettre à pleurer ! Tu ne seras pas orpheline de sitôt ! J'ai fait venir le médecin, et je me soigne. Avec ces nouveaux médicaments, je peux tenir encore vingt ans ! Par Jupiter ! Nous avons de la chance de vivre à une époque où les maladies ne sont plus mortelles.

Malgré ces paroles réconfortantes, Vicky s'imaginait déjà seule au monde, définitivement privée d'amour et de tendresse. Mais pire encore, l'image de son père écrasé de travail, suant laborieusement pendant quarante années de sa vie, l'obsédait. Maintenant qu'il pouvait profiter des fruits de ses sacrifices, il était malade ! Dangereusement, peut-être ? Et c'était son mari qui profitait pour le moment de ces années de privation et d'acharnement, songeait-elle, amère. Comment était-elle capable de l'aimer encore ? C'était abominable. Richard était un escroc sans scrupules ! Il devait se moquer de Wallace, ce grand imbécile qui avait consacré son existence à s'enrichir pour le bénéfice de son gendre ! Elle estimait sa dot à au moins un quart du capital de son père, probablement plus.

— Quand as-tu vu le médecin ?

— Il y a environ trois mois.

— Papa ! Tu me l'as caché pendant tout ce temps !

Trois mois… A peu près l'époque où Richard avait commencé à s'intéresser à elle.

— Qu'aurais-tu gagné à être au courant, mon petit ?

— Je me demande comment tu as réussi à faire tout cela à mon insu. Tu n'as pas eu de malaises, au moins ?

— Non, une légère douleur, d'abord, et un essoufflement ensuite. J'ai eu très peur de te quitter, ma petite enfant chérie. L'argent n'est rien, si l'on n'a pas à ses côtés quelqu'un qui nous aime et nous entoure de son affection. Je me suis donc soigné, mais je n'ai pas été tranquille avant de te savoir heureuse et établie, en sécurité. J'ai encore de longues années devant moi, tu sais.

Elle lui demanda si le médecin le lui avait certifié, et il l'en assura. Cependant, il prendrait des cachets jusqu'à la fin de ses jours. Sa vie en dépendait.

Vicky était encore préoccupée, mais son père l'avait grandement tranquillisée. Il disait vrai : les malades du cœur pouvaient continuer à mener une vie normale des années durant, en se soignant correctement et sans surmenage.

— Est-ce pour des raisons de santé que tu as décidé de prendre ta retraite ?

— Oui, ma chérie. Il est grand temps que je passe le flambeau à quelqu'un de plus jeune et plus dynamique.

— Comment ? Tu vas céder ta place ? Je croyais que tu allais simplement tout vendre.

A sa grande surprise, il ne répondit pas, et changea de sujet. Il évoqua la compétition du samedi suivant.

— Tu te sens prête ? demanda-t-il avec un sourire affectueux. Je serai là, avec ton mari, en spectateurs attentifs. J'espère que tu feras forte impression, même si tu ne gagnes pas.

— Je ne sais pas si j'y participerai.

Vicky avait l'air un peu abattue, à présent.

— A cause de moi ? Allons, Vicky, remets-toi ! Richard ne serait pas content de te voir dans cet état !

Elle se détourna, prise d'une envie soudaine de tout lui raconter. Mais elle se ravisa.

— Bon, dit-elle. Je m'inscrirai. Mais je ne gagnerai pas, cela m'étonnerait. Louisa est parmi les concurrentes, et elle remporte régulièrement tous les prix.

— Louisa... Austin ?

Il fronçait les sourcils.

— Oui, confirma-t-elle d'une voix neutre. Mais elle a fait un séjour à l'hôpital récemment ; elle pourrait ne pas concourir...

— Comment as-tu appris cela ?

Il la regardait d'un air étrange.

— Par Trudie. Je t'ai parlé d'elle, n'est-ce pas ?

— Ton amie du club ?

— Oui. Veux-tu que je reste avec toi, Père ?

— Je suis très occupé, mon petit. Tu ne peux pas imaginer toutes les tâches qui m'attendent. Va te distraire et t'entraîner. Mais attention ! Ne te casse rien maintenant ! Ce n'est pas le moment !

Elle consentit finalement à le laisser. Mais, pleine d'anxiété à son sujet, elle ne cessa de penser à ses deux amis, morts subitement d'une crise cardiaque.

Une fois au club, elle se sentit mieux. Tout le monde était convaincu qu'elle ferait une excellente performance le samedi, mais on la mit de nouveau en garde contre Louisa Austin.

— Elle ne devrait pas monter pour ce championnat, mais elle est obstinée. Quand elle a décidé quelque chose, elle s'y tient ! disait Belinda Stowe, jeune membre du club. Espérons qu'elle ne forcera pas trop, mais si la compétition est serrée, le pauvre cheval en pâtira sûrement !

Belinda s'adressait à Trudie, et Vicky ne prêta pas grande attention à ses propos sur le moment. Pourtant, elle allait s'en souvenir le jour du concours, et comprendre alors pleinement ce qu'elle avait voulu dire !

De retour au manoir, elle trouva Richard en train de bavarder avec un des jardiniers. Il la regarda s'approcher au trot et lui prit la bride quand elle mit pied à terre.

— Vous avez passé une bonne après-midi ? demanda-t-il en commençant à desseller le cheval.

— Oui, merci. Merveilleuse.

— Pensez-vous arriver en bonne place samedi ?

Elle s'appliquait à lui parler le plus courtoisement possible, au cas où le jardinier l'entendrait. Mais il ne tarda pas à s'éloigner vers le potager.

— Votre amie y participe. Je n'ai donc aucune chance de gagner.

Richard tressaillit au ton glacial de sa voix.

— Vous est-il absolument nécessaire d'adopter cette attitude, Vicky. J'ai décidé de vous parler, ma chérie.

— Si vous pensez pouvoir vous disculper à mes yeux, c'est que vous me prenez décidément pour une parfaite idiote !

— Ne soyez pas ridicule et écoutez-moi !

— Pour entendre un tissu de mensonges ?

— Je vous ai avertie, Vicky. Mesurez vos propos, je vous prie.

— Que peut-il m'arriver de pire ? le défia-t-elle.

— Je peux vous faire beaucoup de tort, lui dit-il d'un ton plein de sous-entendus, une lueur mauvaise dans son regard assombri. J'essaye de me montrer le plus patient possible avec vous. J'arrive généralement assez bien à me contenir, mais si vous me poussez à bout, je ne réponds plus de mes actes.

— Vous osez proférer à mon égard des menaces de violence ?

Elle restait calme, et parlait avec une froideur mesurée. C'était comme si elle était devenue adulte tout d'un coup. De surcroît, elle ne se sentait plus inférieure. Richard était peut-être issu d'un milieu plus prestigieux, il était loin d'égaler sa valeur morale, son honnêteté et sa droiture.

— Pas de mélodrame, s'il vous plaît ! gronda-t-il.

— C'est vous qui me menacez et...

Mais Richard avait tourné les talons et se dirigeait vers la maison.

Ils dînèrent en silence, et Vicky monta se coucher sans même lui dire bonsoir.

Le lendemain, elle déjeuna au restaurant en compagnie de John. Ils se promenèrent ensuite longuement dans la campagne du Derbyshire. Il lui parla de la transaction qu'il était en train de négocier avec la vieille tante de Louisa. La valeur de ses terres constituait une petite fortune !

— Et cet argent doit revenir à sa nièce, m'avez-vous dit ?

— C'est exact. Cette fille va devenir incroyablement riche !

— Combien de temps faut-il pour mener à bien une affaire de cette importance ?

— Généralement, un an. Mais j'espère avoir tout réglé d'ici six mois.

Vicky reprit sa voiture à Buxton, car John l'avait emmenée dans la sienne. Elle rentra juste avant l'heure du dîner. Ayant l'intention d'aller voir son père dans la soirée, elle laissa sa voiture dehors. Elle prit un bain, se changea et retrouva Richard dans la salle à manger. Tous deux étaient impeccablement habillés. Ils se dévisagèrent l'un et l'autre d'un œil critique. Aucun doute, songea Vicky, son mari faisait preuve d'un goût raffiné et distingué, en toute occasion. Elle-même portait une jupe noire et un chemisier turquoise bordé d'un liseré noir. Au lieu de la vieillir, cet ensemble la rajeunissait et elle le savait. Elle avait pourtant l'impression d'avoir dix ans de plus depuis quelque temps.

— Voulez-vous prendre l'apéritif ? Un verre de Sherry ? suggéra-t-il doucement.

— Non, je préférerais dîner tout de suite, si vous n'y voyez pas d'inconvénient. J'ai l'intention d'aller voir mon père.

— Pour une raison particulière ?

— Devrais-je en avoir une ?

Elle ne voulait pas lui faire part de ses ennuis de santé. Il s'en réjouirait probablement, et lui souhaiterait d'avoir une attaque, afin d'hériter tranquillement.

— Voulez-vous que je vous accompagne ?

Elle hésita. Son père se demanderait peut-être pourquoi son mari n'était pas avec elle.

— D'accord, consentit-elle.

Le visage de Richard s'éclaira ; elle fut surprise de lui avoir fait plaisir.

Il était onze heures passées quand ils revinrent chez eux. Vicky lui lança un bref bonsoir avant de monter dans sa chambre. Elle et Richard avaient été obligés de feindre la tendresse toute la soirée devant Wallace. Elle avait trouvé cette comédie insupportable, et chaque fois qu'il l'avait appelée « chérie » son cœur s'était brisé. Elle était épuisée, dégoûtée par cette mascarade. Après s'être déshabillée, elle prit une douche, et se mit en chemise de nuit. Elle se brossait les cheveux devant sa coiffeuse, quand tout à coup la porte de communication s'ouvrit, et son mari, furieux, pénétra dans sa chambre.

— Où étiez-vous cet après-midi ? tonna-t-il.

Vicky se retourna sur son tabouret et lui fit face.

— En quoi cela vous intéresse-t-il ? demanda-t-elle, insolente.

Les nerfs à fleur de peau depuis leurs facéties devant

son père, elle n'était pas d'humeur à se montrer conciliante. Elle voulait dormir et oublier tout cela.

— Je suis votre mari, lui rappela-t-il sèchement. J'ai le droit de savoir ! Répondez-moi !

Il s'avança, imposant, le visage déformé par la colère. Elle glissa de son tabouret, et se réfugia dans un coin de la pièce.

— Vous ne semblez pas l'ignorer, réussit-elle à articuler, d'une voix mal assurée.

Elle tremblait de tous ses membres ; on eût dit qu'il voulait la tuer. Il n'y avait pas si longtemps, croyant qu'il l'adorait, elle avait vécu auprès de lui des jours idylliques. Jamais alors, elle ne se serait imaginé qu'il pût lui apparaître sous un jour aussi horrible.

— Vous avez déjeuné avec John Bailey au restaurant ! Je viens de recevoir un coup de téléphone d'un ami. Il me l'a dit tout à fait par hasard au cours de la conversation.

— Et alors ? reprit-elle, plus calme, car elle avait trouvé sa défense. Vous avez bien une amie. J'ai le droit de profiter de la même liberté. Après tout, vous avez eu mon argent ; c'est ce qui vous intéressait, non ?

— Grands dieux ! En voilà assez ! Je ne supporterai pas plus longtemps vos provocations. Alors, il est votre ami ?

— Oui. Au fait, j'ai appris que Louisa allait devenir riche d'ici quelques mois. Vous devez regretter de ne pas avoir été plus patient. Vous auriez réussi...

Il ne lui laissa pas le loisir de finir sa phrase. Elle poussa un cri en essayant d'échapper à son mari qui avait bondi sur elle et l'attrapait maintenant aux épaules, lui enfonçant les doigts dans la chair.

— Je vous avais prévenue ! rugit-il, si près qu'elle sentit son souffle sur sa joue. Me jeter en plus le nom de Louisa à la figure. C'en est trop ! Je ne veux pas de son argent, vous m'entendez ?

120

Il avait perdu tout contrôle, et la secoua jusqu'à ce qu'elle se mette à hurler :

— Arrêtez ! Oh, vous me faites mal ! Richard...

Quand enfin il la lâcha, elle se serait écroulée par terre s'il ne l'avait pas retenue dans ses bras.

— Je vous déteste, murmura-t-elle dans un souffle.

A ce moment-là, elle en était persuadée.

Il soutint son corps vacillant sans exprimer le moindre regret de la violence dont il venait de faire preuve.

Il posa les yeux sur le jeune corps de sa femme, à peine dissimulé par le déshabillé délicat et transparent, et se mit à lui parler doucement :

— Vous vous êtes décidée à vous ouvrir à moi par peur d'attendre un enfant. Vous m'avez alors regardé comme si vous pensiez...

— Il serait corrompu par votre amour de l'argent ! lança-t-elle, la colère maintenant plus forte que la peur.

Un silence terrifiant tomba sur eux ; Richard la souleva dans ses bras, et lui dit, les yeux fixés sur son visage blême, la voix vibrante de fureur et de passion mêlées :

— Qu'il soit corrompu ou pas, vous aurez un enfant de moi.

9

Richard n'était pas à ses côtés quand Vicky s'éveilla après une nuit de sommeil agité. Elle se leva vivement, comme si en quittant le lit elle oublierait plus facilement les étreintes de son mari et son pouvoir dévastateur. Elle tira les rideaux et ouvrit la fenêtre, posant son regard morose sur les arbres séculaires, les statues et les fontaines, et plus loin, la lande sauvage. Se retournant, elle observa ensuite le lourd mobilier de sa chambre. Jamais elle ne l'aurait choisi elle-même. Ici, au manoir de Whitethorn, d'autres avaient décidé du décor ; elle n'y avait apporté que des changements superficiels. Quelle différence avec l'ensemble harmonieux qu'elle avait su créer chez son père ! Si au moins elle pouvait retourner cette horrible pendule ! Mais il était impossible de revenir en arrière...

Triste et pensif, son regard s'attarda sur la porte de communication. Aucun bruit ne signalait la présence de Richard, mais elle l'ouvrit après avoir frappé doucement. Elle ressentait un besoin urgent de lui parler. Il n'y aurait plus d'autre nuit comme celle-là. Elle n'était pas une esclave pour être ainsi le jouet des désirs luxurieux d'un homme qui ne l'aimait pas. Ils devraient trouver un moyen de se séparer sans faire souffrir son père. Il le fallait !

Apercevant son reflet dans la glace, elle fut soulagée de ne pas avoir trouvé Richard : elle était simplement vêtue de sa chemise de nuit, et dans sa hâte de discuter avec lui, n'avait pas pris la peine d'enfiler sa robe de chambre.

Elle prit un bain et s'habilla d'une jupe de coton blanc et d'un chemisier vert à manches courtes. Elle se brossa les cheveux et mit un peu de rouge sur ses joues, pour cacher la pâleur intense de son teint. Elle descendit dans le petit salon. Richard n'y était pas. Une domestique vint lui demander si elle désirait déjeuner.

— M. Sherrand... Où est-il ? demanda Vicky.

— Il est sorti, Madame. Sans déjeuner.

Elle le trouva une dizaine de minutes plus tard, tout à fait par hasard, en se promenant dans le parc. Il était assis sur une souche d'arbre, la tête dans les mains. Elle fut frappée par l'impression de profonde désolation qui se dégageait de son attitude. Malgré elle, elle sentit son cœur se serrer, certaine que Louisa occupait ses pensées.

Elle revint sur ses pas, marchant délicatement sur les fougères, évitant de mettre les pieds sur les brindilles sèches pour ne pas trahir sa présence.

Oui, ils devaient se séparer. Pourquoi rester ensemble s'ils étaient malheureux ? Sans trop savoir comment, elle se mit à penser à la tendresse de Richard, aux multiples incidents où le bon côté de sa nature s'était révélé. Il avait voulu tenir jusqu'au bout la promesse faite à Wallace : jamais sa femme n'apprendrait qu'il ne l'aimait pas. Elle songea à la façon dont il l'avait traitée, et la plus grande confusion l'envahit. Comment un homme pouvait-il feindre à ce point ? Pourtant, il en était ainsi. Elle soupira. Son mari avait été victime des événements. Seul son sens de l'honneur l'avait poussé à jouer ce rôle de l'époux aimant. C'était parfaitement illogique, mais Vicky en avait la conviction.

Quittant le bois, elle continua machinalement sa promenade dans les jardins autour du château. La situation où ils se trouvaient engagés tous deux l'obsédait. Lui-même avait dû être au supplice d'abandonner Louisa. Il l'avait revue à l'hôpital, Vicky en était sûre et elle imaginait sans peine les effusions de leurs retrouvailles... et le déchirement de la séparation... Après tout, il pourrait envisager de se remarier avec elle dans un avenir pas trop lointain... A cette idée, elle ravala ses larmes. Elle ne pourrait pas continuer à vivre dans le voisinage du manoir. Pourtant, comment demander à Wallace d'abandonner la superbe maison qu'il s'était fait construire pour sa retraite ?

— Que dois-je faire ? murmura-t-elle tout haut. Ou bien je reste avec Richard, ou alors je bouleverse irrémédiablement la vie de mon père.

Même s'il avait été en parfaite santé, elle n'aurait pas pris la décision de lui demander de déménager. Elle estimait ne pas en avoir le droit. Et dans les conditions actuelles, c'était impensable. Tous ces doutes la minaient ; elle devait les balayer. « Eh bien », se dit-elle, soudain calme et déterminée, « je ne choisirai ni l'une ni l'autre de ces éventualités ». Elle souffrirait beaucoup au début ; ce serait difficile de vivre si près de lui et de les rencontrer tous les deux ensemble, Richard et Louisa, mais c'était inévitable. La douleur s'effacerait peu à peu ; le temps guérissait de bien des blessures.

Elle n'avait pas encore envie de rentrer, et dépassa le porche imposant pour se diriger vers le lac. Elle trouva la paix et la tranquillité en se reposant sur un vieux banc de bois abrité du soleil par un énorme hêtre pourpre. Mais Kaliph arriva bientôt en gambadant, suivi de Richard. Le moment d'essayer de résoudre leur problème était venu.

Il ralentit le pas en la voyant, puis vint se planter devant elle, la regardant d'un air impénétrable.

— Je vous présente mes excuses... commença-t-il, pour hier soir...

— N'y pensons plus ! interrompit-elle en rougissant. J'aimerais vous parler de choses plus importantes. Vous avez le temps maintenant ?

Elle lui fit une place sur le banc. Quel calme ! Quelle maîtrise de soi ! Elle avait fait bien du chemin depuis le jour fatal qui avait brisé sa vie !

— Vous devez vous douter ce dont il s'agit ? Asseyez-vous, Richard, je vous en prie.

Elle parlait d'une manière impersonnelle, et pourtant elle souffrait atrocement. Il était là, à ses côtés. Ce serait tellement merveilleux de sentir à nouveau l'étreinte de ses bras puissants, ses baisers passionnés sur ses lèvres... Les larmes lui montèrent aux yeux, et elle se détourna, déterminée à ne pas le laisser soupçonner qu'elle l'aimait encore.

Il s'assit, très raide, et, sans préambule, elle attaqua, d'une voix sèche, presque hostile :

— Cela ne peut plus durer, Richard. Je suis sûre que vous serez d'accord. Nous devons nous séparer... divorcer, j'y suis résolue.

— Divorcer ?... A cause de la nuit dernière ?

Vicky crut discerner du soulagement dans sa voix.

— Parce que nous ne sommes heureux ni l'un ni l'autre, dit-elle vivement.

— Et votre père ? demanda-t-il après un temps de réflexion. Vous m'avez fait promettre de ne pas lui laisser soupçonner nos difficultés !

— Je le préparerai peu à peu. Voyez-vous, il me semble qu'il se doute déjà de notre désaccord.

— Vous croyez ?

Richard ne paraissait pas surpris outre mesure à l'annonce de ces nouvelles.

— Il m'a offert mon cheval parce que j'avais l'air déprimée...

— Mais, à l'époque, vous n'aviez pas découvert...

Il s'arrêta, cherchant ses mots. Vicky termina à sa place :

— ... la raison de notre mariage ? Non, mais vous me laissiez très souvent seule. Je n'avais pas parlé à mon père de mes soirées solitaires, mais je n'offrais certainement pas l'image du bonheur parfait ! Il m'en a reparlé longtemps après, mais j'avais retrouvé la joie de vivre, et je l'ai détrompé.

Il ne dit rien. Il fixait la rive du lac : deux cygnes et leurs trois poussins duveteux s'ébattaient sous les saules pleureurs. Elle continua :

— En préparant petit à petit mon père à cette idée, je lui épargnerai un trop grand choc.

— Vous avez tout réglé, observa-t-il.

— Je veux mettre un terme à cette situation. Vous serez libre ensuite d'épouser Louisa Austin...

— Je veux vous parler d'elle, coupa Richard.

Mais Vicky ne voulait rien entendre ; elle serait incapable de le supporter. Elle eut envie de lui faire mal, de lui prouver qu'elle aussi pourrait envisager l'avenir sans lui :

— Et moi aussi, si je le désire, je serai libre...

Le Terre-neuve attira son attention à ce moment-là, et elle ne vit pas la grimace de Richard.

— Vous le feriez ?

Son air incrédule la rendit furieuse.

— Pourquoi pas ? Je suis jeune. En tout cas, je choisirai un homme désintéressé !

La dernière phrase lui avait échappé. Richard ne releva pas. Il lui demanda si elle devait revoir John Bailey.

— Si oui, dit-il entre ses dents, vous pouvez annuler le rendez-vous. Tant que vous êtes ma femme, vous

tiendrez votre rang. Je ne veux pas de scandale attaché
à mon nom.

Vicky fulminait.

— Si vous avez le droit de rencontrer Louisa, je
prends celui de voir John ! Nous en avons discuté hier
soir.

— Il n'y a pas eu de discussion. Vous décrétez cela
de votre propre chef.

— Par votre attitude avec Louisa, vous renoncez
aux droits que le mariage vous donne sur moi. Si vous
vous comportez une seule fois encore comme la nuit
dernière, je retourne immédiatement chez mon père.

Elle savait parfaitement qu'elle n'exécuterait jamais
cette menace. Wallace ne s'en remettrait pas. Mais
Richard ignorait l'état de son père, il prendrait donc sa
bravade au sérieux. Pourtant, elle aurait pu s'en
dispenser car il lui jura que cela ne se reproduirait pas.

— Vous m'aviez provoqué, lui rappela-t-il, rageur,
comme si elle partageait la responsabilité de cet
incident.

— Revenons à la question du divorce, reprit-elle.
Vous devez être au courant des démarches à effectuer ?

— Non, c'est la première fois que cela m'arrive.

Ignorant son sarcasme, elle continua :

— Votre homme de loi vous conseillera.

— Et votre promesse de ne pas revoir John Bailey ?

— Je pensais avoir réglé cette affaire, dit-elle d'un
ton cassant. Je verrai John quand j'en aurai envie.
D'ailleurs, je dois dîner avec lui...

Elle s'interrompit à temps. Il était plus prudent de
laisser son mari ignorer le nom du restaurant.

— Où ? Et quand ?

Son visage avait une expression mauvaise.

— Cela ne vous regarde pas ! Je ne vous demande
pas où vous voyez Louisa. En tout cas, ce sera pendant
une de vos absences.

— Je ne suis pas avec Louisa chaque fois que je m'absente.

Il répéta sa question, mais Vicky refusa de répondre. Elle désirait avant tout débattre du problème du divorce.

— Vous perdez votre temps, dit-elle fermement.

— Il y a bien des façons de vous empêcher de le rencontrer.

Ses yeux brillaient d'une lueur malveillante.

— Vous n'allez tout de même pas m'enfermer, Richard ?

— Je le pourrais, répliqua-t-il froidement.

— Il faudrait vous en expliquer avec mon père !

Il eut un signe d'impatience, et se tut, caressant son chien d'un air absent.

— Dites-moi, n'avez-vous jamais suspecté votre père de m'avoir encouragé ? Vous connaissiez son rêve.

Elle lui retourna la question :

— Comment êtes-vous au courant ?

— J'ai deviné ; quelques remarques significatives ont suffi.

— Mon père semblait, en effet, vous considérer comme un parti possible, admit-elle. Mais par ailleurs, tout le monde était au courant de vos fiançailles prochaines avec Louisa.

— Le sachant, cela ne vous a pas surprise que je m'intéresse à vous ?

Elle détourna les yeux, rougissante.

— C'était assez vaniteux de ma part de penser que je vous plaisais, et que vous l'aviez oubliée en tombant amoureux de moi.

— Me haïssez-vous vraiment, ou avez-vous parlé sous le coup de la colère, pour vous venger ?

Vicky crut déceler un espoir dans sa question. Qu'arriverait-il si elle lui avouait la vérité ? Mais elle se raccrochait à un fétu de paille. Plus vite ils seraient séparés, mieux cela vaudrait.

— C'était pour me venger, répondit-elle.

— Vous me détestez ?

— Oui, dit-elle d'une voix à peine audible, je vous déteste.

Il prit une inspiration profonde.

— Je ne vous blâme pas, même si vous n'êtes pas en possession de tous les éléments de cette histoire.

— Lesquels ?

Il se contenta de hausser les épaules.

— Cela n'a plus d'importance maintenant. Vous êtes décidée à divorcer, je ne gagnerai rien à essayer de me disculper.

— Vous ne pouvez pas vous justifier !

— Pas entièrement, c'est vrai. J'assume l'entière responsabilité de mes actes. La faute n'en revient à personne d'autre qu'à moi.

Il aurait pu lui en dire plus, il en avait envie. Elle ne pouvait pas, cependant, avec la meilleure volonté du monde, lui trouver des circonstances atténuantes. Et il avait tout avoué : il s'était marié avec elle pour remédier à ses difficultés financières, bien qu'étant amoureux d'une autre jeune fille. Comment Louisa avait-elle accepté l'idée de ce mariage ? Vicky ne le saurait jamais. Ils avaient dû en discuter. Elle s'était peut-être rendue à ses raisons : s'il ne saisissait pas l'offre de Wallace, il lui faudrait vendre le domaine. Leur séparation avait-elle été tragique ? Les larmes avaient-elles coulé ?

Vicky se leva, désireuse de s'éloigner de Richard. Sans doute à ce moment même songeait-il encore à celle qu'il aimait, mesurant le temps qui la séparait de lui...

— Vous partez ?

— Oui, nous n'avons plus rien à nous dire, Richard. Vous verrez votre avocat ?

Il fit un signe de tête.

— Puisque vous le voulez, Vicky.

— Nous le voulons tous les deux. Vous ne pouvez pas vous remarier avant de vous être débarrassé de moi.

— Ne dites pas cela ! s'écria-t-il. Vous avez une façon de présenter les choses !

— Pas assez délicate à votre goût ? Je ne suis pas très raffinée, en effet. Je n'ai jamais été votre égale, socialement parlant, n'est-ce pas ?

Elle vit une ombre passer dans son regard.

— Je n'ai jamais fait allusion à une chose pareille ! D'où sortez-vous une idée semblable ?

— C'est la vérité. Je l'avais acceptée dès le début, je m'étais résignée. Notre mariage n'aurait jamais marché, même sous des auspices plus favorables.

Elle allait partir quand Richard revint à la charge avec John Bailey :

— Je vous interdis de le voir, trancha-t-il.

— Nos routes se séparent, Richard. Vous allez de votre côté, et moi du mien.

Il se leva, la dominant de sa stature imposante.

— Jusqu'où cette histoire est-elle allée ? Vous ne le connaissez pas depuis longtemps pour être amoureuse de lui.

Comme il était naïf ! Il était loin de se douter qu'elle était tombée amoureuse de lui, son mari, dès le premier jour où elle l'avait vu. Ils n'avaient même pas eu besoin d'échanger une parole ! Elle ne pourrait plus jamais lui faire cet aveu.

— Il suffit de peu de temps, répondit-elle.

Il fallait que Richard la crût amoureuse de John, son orgueil l'exigeait.

— Je vois. Une chose est sûre, vous n'avez pas perdu de temps ! Comme il sait tout, il a dû vous témoigner sa sympathie, et offrir de vous consoler ?

Vicky ne supportait plus le ton âpre et grinçant de sa voix. Comment croire que c'était le même homme qui lui avait chuchoté à l'oreille tant de mots tendres et affectueux ? Elle fit un effort pour ravaler ses larmes et ferma les yeux pour lui cacher sa douleur.

— La nuit où il était là, invité dans ma propre maison, savait-il... Je...

Il s'interrompit, et Vicky, une fois de plus, termina à sa place :

— Oui, bien sûr. Il savait que vous m'aviez épousée pour mon argent !

Il roulait des yeux furibonds, à présent. Consciente de sa réprobation, se sentant coupable, Vicky se mit à rougir violemment.

— Vous n'étiez pas gênée de ce qu'il pouvait penser ?

— L'idée ne m'a même pas effleurée, dit-elle d'un ton cassant. J'ai simplement trouvé sage de lui rendre ce service. Il avait tourné en rond tout l'après-midi, perdu sur la lande, et nous avions mis un temps fou à retrouver sa voiture. Cela ne me semblait pas très charitable de le laisser repartir à Manchester en pleine nuit.

Richard n'avait pas l'air de l'écouter. Il était perdu dans ses pensées, inaccessible. Elle abandonna toute tentative de relancer la discussion et s'éloigna, un peu déçue de voir Kaliph rester en compagnie de son maître au lieu de la suivre.

10

Le jour du concours arriva. La matinée, radieuse, laissait espérer un bel après-midi ensoleillé. Richard prit une des Land-rovers de l'exploitation et emmena Cutey dans le van. Wallace conduisit Vicky dans la Rolls. Elle portait une très élégante tenue d'équitation. Quand il était arrivé au manoir, Wallace avait observé sa fille d'un air étrange. Une fois dans la voiture, il lui demanda, d'une voix légèrement hésitante :

— Tu as un ennui, mon trésor ?

Surprise, elle tourna la tête ; c'était peut-être le moment de commencer à le préparer à la nouvelle : il fallait procéder doucement, par allusions d'abord, et laisser planer quelques sous-entendus.

— Pourquoi dis-tu cela, père ?

— A vrai dire, je ne sais pas trop, admit-il avec un froncement de sourcils. Je m'inquiète peut-être inutilement.

— A propos de quoi ?

— Richard... Il te traite bien ?

— Naturellement.

Wallace lui jeta un regard de côté.

— Tu n'est plus aussi exaltée qu'auparavant. Où est passé ton bel enthousiasme ?

— Il commence à se dissiper, dit-elle en ayant soin

de dissimuler son émotion. La lune de miel n'est pas éternelle.

Il s'absorba dans ses pensées pendant un certain temps avant de remarquer :

— Tout de même, cela dure généralement plus longtemps.

Comme Vicky ne répondait rien, il ajouta, presque pour lui-même ;

— Ta mère et moi aurions fait de notre vie une longue lune de miel, si elle ne m'avait pas été enlevée.

Vicky réprima un sanglot.

— Votre amour était hors du commun, Père.

— Absolument pas. Tous les couples mariés peuvent rester amoureux, s'ils font les efforts nécessaires.

— On ne devrait pas avoir à se forcer, reprit-elle.

Il soupira profondément, et, au grand soulagement de Vicky, en resta là. Elle avait semé le doute dans son esprit, et elle en viendrait un peu plus tard à l'annonce de leur séparation prochaine et du divorce.

Ils arrivèrent à Handford.

— Rappelle-toi ! lui dit Wallace, quand, montée sur Cutey, elle attendait son tour de concourir. Tâche de faire bonne impression. Nous serons là-bas...

Sa fille ne vit pas l'endroit qu'il lui indiquait. Elle regardait Richard, dont l'intérêt était absorbé par une autre cavalière... Louisa Austin...

Vicky se raidit. Il espérait que Louisa remporte la victoire, elle en était sûre. Eh bien, elle ferait son possible pour l'empêcher de gagner. Elle se pencha en avant pour flatter l'encolure de Cutey. Son cheval avait fait des merveilles à l'entraînement. Aujourd'hui il se surpasserait.

Vicky suivit le parcours de la première concurrente, Susan Ridgeway. Elle était arrivée en bonne place dans toutes les courses auxquelles elle avait participé, mais elle fit six fautes. Tournant la tête par hasard en direction de Louisa, Vicky perçut sur son visage un petit sourire narquois. Visiblement, Susan représentait à ses yeux sa rivale la plus dangereuse, et elle était sûre maintenant de remporter la victoire.

Le tour de Vicky vint juste avant celui de Louisa. Le silence se fit dans la foule des spectateurs admiratifs : elle termina un parcours impeccable, sans une seule faute.

Louisa prit la suite, le visage tendu et déterminé. Elles ne s'étaient jamais rencontrées, mais elle savait évidemment qui était Vicky. Richard avait dû lui parler d'elle. Elle avait probablement appris, bien avant le jour de la compétition, qu'elle devrait se mesurer à elle pour obtenir le prix convoité.

Naturellement, Vicky suivit sa performance avec attention. Elle fit une grimace de réprobation en la voyant se servir de sa cravache. Vicky n'en utilisant jamais. Elle considérait Cutey comme son amie ; pour rien au monde elle n'aurait essayé de pousser un animal sans défenses au-delà de ses capacités. Les paroles de Belinda lui revinrent en mémoire. Effectivement, Louisa poussait sa monture au maximum, et le cheval, maltraité, devint soudain rétif et refusa un obstacle. Ce n'était guère étonnant. Tirant sur les rênes, Louisa revint en arrière et se prépara à franchir la haie. Le cheval se cabra, et Vicky détourna les yeux ; elle ne supportait pas de voir la cravache s'abattre sauvagement sur les flancs de l'animal. La foule la couvrit de huées quand elle eut fini, ayant totalisé quatre fautes.

Vicky avait gagné. Elle fit un tour d'honneur, sous un torrent d'acclamations et d'applaudissements. Elle se penchait de temps à autre pour caresser Cutey, rappelant ainsi aux spectateurs qu'elle partageait sa victoire avec son cheval. La foule comprit son geste, et Vicky entendit avec un plaisir intense, les gens crier des « Bravo, Cutey ! ».

Le succès l'émouvait profondément, et elle était rouge de plaisir. Quand ses yeux rencontrèrent ceux de

135

son mari, elle y lut une admiration profonde et sincère. Elle avait gagné, et il en était heureux ! Comme elle, peut-être, il avait exécré la façon dont Louisa avait malmené son cheval, dans sa farouche détermination à battre Vicky. Comment pouvait-il aimer une telle créature ? Sans doute était-il subjugué par sa beauté.

— Ma petite fille ! s'écria Wallace quand elle mit pied à terre. Je le savais ! Richard, vous êtes fier de votre femme ?

— Très, répondit-il aussitôt. Félicitations, Vicky.

— Eh bien, vous ne l'embrassez pas ?

— Si, bien sûr.

Richard s'avança, la prit par le bras, et lui donna un baiser. Vicky frissonna à son contact, et les larmes lui vinrent aux yeux. Elle se détourna pour cacher son visage à Richard et à son père. A ce moment-là seulement, elle aperçu John qui la regardait de loin. Elle lui sourit très spontanément, et agita la main pour lui dire bonjour. Richard serra les mâchoires tandis que Wallace, après un vague coup d'œil circulaire, lui demandait à qui elle faisait signe.

— C'est John, répondit-elle. Un ami à moi. Je vais l'appeler.

Et Richard s'en alla aussitôt... Vicky le vit rejoindre Louisa.

— John, venez que je vous présente à mon père. Papa... John Bailey.

— Ravi de vous rencontrer. Et comment donc, jeune homme, avez-vous fait la connaissance de ma fille ? lança-t-il en le toisant.

— John travaille pour une société que tu connais, père.

Quand elle en mentionna le nom, le visage de Wallace s'assombrit et il le dévisagea à nouveau.

— A quel titre ? voulut-il savoir.

John commença à lui donner des explications, mais Vicky suggéra d'aller poursuivre la conversation

136

autour d'une tasse de thé. Elle eut le temps, avant de s'éloigner, d'apercevoir que Richard et Louisa avaient disparu. Qu'allait penser son père ? Elle haussa les épaules ; cela renforcerait ses doutes quant au succès de leur mariage. Visiblement, il était d'ailleurs en train de chercher son beau-fils.

— Richard nous rejoindra, dit-elle. Venez ! Si nous attendons plus longtemps, il y aura la queue.

— Mais, objecta son père, ce n'est pas très correct de partir sans Richard ! Comment saura-t-il où nous sommes ?

— Il devinera bien, répliqua-t-elle d'un ton léger.

Les deux hommes la regardèrent d'une façon étrange.

— Si tu le dis... observa Wallace.

Il était troublé, et Vicky regretta le brusque départ de son mari. Il n'aurait pas dû agir ainsi. Son père devait apprendre progressivement l'échec de leur mariage. Il fallait absolument lui épargner un choc qui pourrait avoir de graves répercussions sur sa santé.

Ils venaient juste de s'asseoir à une table quand ils entendirent quelqu'un saluer Wallace, et une dame apparut à côté de lui.

— Madame Basset ! s'exclamèrent Wallace et Vicky en même temps.

— Quel plaisir de vous voir ici ! ajouta Wallace. Alors, vous avez admiré la performance de ma fille ?

— Naturellement ! Elle a été merveilleuse !

Les deux hommes s'étaient levés pour lui offrir un siège.

— Je ne veux pas vous importuner, dit-elle. Je suis simplement venue donner un petit bonjour à mon vieil ami et féliciter sa fille. Je vous remercie, jeune homme de...

— Restez donc, madame Basset, la convia Vicky, devançant son père. Cela fait des siècles que nous ne nous sommes vus.

Mme Basset accepta la chaise de John qui alla en chercher une autre.

— Depuis ton mariage, ma petite Vicky. Oh, je n'oublierai jamais comme tu étais belle ce jour-là, dans ce splendide modèle de haute couture !

Vicky baissa les paupières, envahie par l'émotion à ce souvenir. Une grande tristesse s'abattit sur elle, à la pensée de ces vœux solennels, si vite brisés.

Wallace l'observait attentivement. Elle participait à la conversation, ne voulant pas l'inquiéter outre mesure. Le visage de son père reflétait une expression étrange qu'elle lui avait déjà vue plusieurs fois récemment. Que manigançait-il ? Vicky essaya d'oublier ses préoccupations, rejetant l'idée d'une explication entre Wallace et Richard, fort improbable.

Mme Basset était une femme vive, à la conversation intéressante, et au rire contagieux. Vicky n'avait jamais vu son père aussi à l'aise auprès d'une femme. Une chaude amitié avait toujours existé entre eux deux, mais il semblait aujourd'hui qu'il y avait autre chose. L'intérêt qu'il portait à sa vieille amie paraissait lui faire oublier ses inquiétudes concernant sa fille. Quand vint l'heure de partir, Richard réapparut. Mme Basset prit place dans la Rolls, à côté du chauffeur, sur l'insistance de Vicky.

Wallace suivit la Land-Rover pendant un long moment, puis, fatigué d'être obligé de conduire lentement, décida de la dépasser et laissa son beau-fils loin derrière eux.

— Quelle magnifique demeure ! s'exclama Mme Basset en descendant de voiture.

Elle n'avait jamais vu le manoir.

— Mon Dieu ! Quelle chance tu as, mon enfant. N'est-ce pas, Wallace ?

— Oui…

— Votre vœu a été exaucé !

138

— Voulez-vous rentrer ? s'interposa Vicky brusquement... Vous pourriez rester dîner tous les deux.

Wallace et son amie se consultèrent du regard.

— Si tu le désires, ma chérie.

Vicky était ravie. C'était donc entendu. Mais ils ne pourraient pas se changer, et ils espéraient que Richard n'en serait pas froissé.

Vicky les rassura, mais secrètement, elle se demanda si Richard ne trouverait pas leurs manières un peu... « cavalières ». Elle monta dans sa chambre pour ôter sa tenue d'équitation, et mit une simple robe de cotonnade et des sandales. Richard penserait ce qu'il voudrait ! Mais il n'oserait pas exprimer tout haut ses objections, elle en était certaine.

Elle fut surprise, en redescendant, de trouver Mme Basset seule dans le salon.

— Où est père ? demanda-t-elle, étonnée.

— Avec Richard. Wallace m'a priée de l'excuser un instant, car il avait quelque chose de très important à lui dire.

—Oh...

Vicky avait pâli. Et si Richard allait tout lui raconter ?

— Où sont-ils allés ? Dans le bureau ?

— Ils ont dû se diriger vers le pavillon du jardin. Je les ai vus traverser la pelouse.

Ne sachant que faire, Vicky se mordit la lèvre. Elle n'eut pas le temps de prendre une décision : le maître d'hôtel vint frapper à la porte, et l'informa qu'une visite attendait son mari.

— Qui ?

— Où est M. Sherrand, Madame ? interrompit le domestique, impassible.

Mme Basset l'observait avec attention. Vicky, intriguée, demanda le nom du visiteur, ajoutant que son mari était occupé pour l'instant.

— C'est Mme Sherrand, se résigna à dire le maître d'hôtel.

— Comment cela, intervint Mme Basset, incapable de se contenir. Mme Sherrand est devant vous !

— C'est la belle-mère de Richard, expliqua Vicky, la seconde femme de son père.

Son cœur s'était mis à battre à tout rompre, elle ne comprenait pas pourquoi.

— Dois-je l'introduire dans le petit salon ? demanda le domestique en lançant à Mme Basset un regard méprisant.

— Oui, s'il vous plaît, répondit Vicky.

— Je ne savais pas qu'il avait une belle-mère. Comment est-elle ? interrogea Mme Basset.

— Je ne l'ai jamais rencontrée.

Vicky ne quittait pas la fenêtre des yeux. Les deux hommes ne réapparaissaient pas.

— Je ferais bien d'aller chercher Richard... Je vous prie de m'excuser, madame Basset...

— Bien sûr, mon enfant. Euh... Vicky...

— Oui ?

— Tu as des ennuis ?

Comme elle ne répondait pas, elle ajouta :

— Et tu n'es pas heureuse. Je te connais depuis assez longtemps pour pouvoir te parler franchement...

— S'il vous plaît, coupa Vicky. Je ne peux pas encore en parler. Je dois aller chercher Richard.

Et elle s'esquiva.

Elle traversait le hall quand une voix l'arrêta.

— Ainsi donc, vous êtes sa femme !

Vicky se retourna, et se trouva face à face avec une grande femme blonde.

— Oui, je suis Mme Sherrand, dit-elle en essayant de garder son sang-froid. Je vais chercher mon mari.

Cette femme avait l'air très agressif. Elle la fixait de ses yeux perçants, les mains sur les hanches, la tête rejetée en arrière.

— Laissez-moi vous regarder un peu ! Une fille de milliardaire, hein ? Et avec tout cet argent, je ne peux même pas toucher mon dû ! dit-elle avec hargne. Ne vous sauvez pas, jolie madame ! J'ai à vous parler !

Elle hurlait littéralement, et Vicky jeta un coup d'œil inquiet vers le salon où Mme Basset attendait.

— Ayez la gentillesse de retourner dans le petit salon pour attendre mon mari. Je ne suis pas au courant de vos histoires.

— C'est vous que j'espérais voir, coupa la femme. Venez ici ! Nous allons parler !

Le ton était si impératif que Vicky obéit. Elle prit soin de fermer la porte derrière elle. Le cœur battant, elle était sur la défensive.

— Vous l'ignorez peut-être, ma fille, mais la moitié de cette maison et du domaine m'appartiennent !

— La moitié !...

En un éclair, Vicky se souvint de la conversation téléphonique dont elle avait un jour surpris des bribes : « Vous avez droit à la moitié... J'ai bien dû l'accepter, mais cela prend du temps... Je ne peux pas satisfaire... » Richard était constamment interrompu par son interlocuteur. Elle se rappela son visage haineux, ses craintes d'avoir été entendu par sa femme, et son soulagement quand elle l'avait détrompé. Il parlait à sa belle-mère ce jour-là, elle en était convaincue. Elle voulait maintenant en apprendre le plus possible avant le retour de Richard.

— A quoi pensez-vous ? demanda Mme Sherrand. Vous ne faites aucun commentaire sur ce que je viens de vous révéler ?

— D'où vous viennent ces droits ? Comment pouvez-vous prétendre à la moitié de la propriété ?

— Je suis la veuve de James Sherrand ! Il m'a laissé une misérable pension, et tout le reste à son fils...

De la main, elle montrait les hectares de prairies

verdoyantes où paissaient d'imposants troupeaux de moutons.

— Mais la loi est de mon côté ! J'ai droit à ma part ; l'affaire traîne depuis deux ans, et les avocats sont enfin arrivés à un accord. Seulement Richard résiste, il ne veut pas payer. Il essaie de gagner du temps, mais je ne mourrai pas de si tôt, au risque de le décevoir !

Son visage était déformé par la fureur. Vicky n'aurait pas été surprise de la voir succomber à une attaque, tant elle était congestionnée.

— Avec la fortune de votre père, il a pourtant de quoi payer !

Vicky était blême. Comment pouvait-on se mettre dans un état pareil pour de sordides questions d'argent ? Mme Sherrand avait de quoi satisfaire sans problème ses goûts de luxe. Mais cela ne lui suffisait pas. Elle voulait en plus démanteler le domaine. Elle gaspillerait cet argent aussitôt ! C'était insensé !

— Mon mari ne me fait pas ses confidences en ce qui concerne sa situation financière, finit par dire Vicky.

— Vraiment ? En tout cas, votre milliardaire de père est au courant, lui. J'ai l'intention d'aller le voir, et de l'obliger à payer…

Le regard de Vicky étincelait de colère.

— Je vous interdis de faire une chose pareille ! Laissez-le tranquille ! Il est malade. Je ne veux pas qu'il ait le moindre motif d'inquiétude, vous m'entendez ?

— Par exemple ! Vous avez un sacré caractère ! Vous n'avez rien à envier à votre mari !

— Mon père n'a rien à voir dans vos disputes avec Richard, reprit Vicky plus calmement. Laissez-le en dehors de cette histoire.

— Il a tiré Richard d'affaire une fois, je ne vois pas pourquoi il ne recommencerait pas. Je veux ma part d'héritage pendant que je suis encore assez jeune pour en profiter. Donc, si votre père ne paye pas, il faudra vendre le domaine pour me la donner !

— Vous harcelez mon mari depuis longtemps ?

Se rappelant les traits tirés et la grande lassitude qui avaient si souvent assombri son visage, Vicky se demanda soudain si ses conclusions n'avaient pas été un peu hâtives. Elle le croyait terriblement malheureux à cause de son amour désespéré pour Louisa. Maintenant, des doutes commençaient à se dessiner dans son esprit...

— Et que feriez-vous à ma place ? Vous insisteriez, exactement comme moi.

— Mais vous l'avez menacé, dit Vicky lentement, en pesant ses mots.

— Si vous voulez, oui !

— De quoi ?

Les yeux de cette femme flambaient de haine ; elle se rapprocha de Vicky.

— Pour qui vous prenez-vous, à m'interroger de la sorte ?

— C'est vous qui me poussez à agir ainsi, répliqua Vicky, étonnée de maîtriser parfaitement la situation après avoir eu si peur. Vous voulez l'amener devant les tribunaux, le poursuivre en justice ?

Mme Sherrand ricana méchamment.

— Vous n'êtes pas si bête ! Oui, vous avez en partie raison, mais mon avocat ne m'approuve pas entièrement. Il vaut mieux ne pas heurter Richard de front. Je l'ai donc menacé d'emménager ici...

Vicky la regarda, horrifiée.

— Vous ne feriez pas une chose pareille !

— Qu'est-ce qui m'arrêterait ? Je suis dans mon plein droit. Je peux m'installer quand je le jugerai bon.

— Vous ne resteriez pas longtemps, ne put-elle s'empêcher de l'avertir.

— On me rendrait la vie dure ? Ma fille, Richard peut se montrer extrêmement désagréable, mais s'il s'amusait à se petit jeu, je saurais être mille fois plus odieuse que lui.

Vicky la croyait sans peine. Elle repensa aux tourments de Richard que cette épouvantable créature lui avait infligés. Peut-être, après tout, n'était-il pas pleinement responsable de ses emportements contre elle, ni des reproches cinglants dont il l'avait accablée. Harassé par les attaques répétées de sa belle-mère, poursuivi par ses insultes, il n'avait pu toujours se contenir. A la lueur de ces faits nouveaux, son comportement n'apparaissait plus aussi odieux.

Mme Sherrand recommençait à crier sa détermination, de sa voix forte, presque vulgaire.

— Si vous vous approchez de la maison de mon père, lui dit Vicky en élevant le ton à son tour, je vous ferai jeter dehors par les domestiques.

Avertie soudain d'une présence dans la pièce, elle s'interrompit et se retourna.

— Richard !

Il était là, dans l'encadrement de la porte, Wallace derrière lui.

— Je suis en train de bavarder agréablement avec votre charmante épouse, Richard, lui dit sa belle-mère en riant.

Il lui lança un regard perçant.

— Que faites-vous ici ? gronda-t-il.

— Oh, je ne suis pas venue m'installer, pas encore. Qui est ce petit homme ? Je ne l'ai jamais rencontré. Un ami à vous ?

Ses yeux glissèrent vers Vicky :

— Votre père ?

— Oui, et alors ? lança Wallace, très agressif, en passant brusquement devant son beau-fils. Si vous cherchez des ennuis, madame, vous en aurez. Je viens d'apprendre sur vous des choses...

— Wallace, interrompit Richard calmement, restez en dehors de cela.

— Allez au diable ! Nous formons une famille unie, et nous nous occuperons d'elle ensemble !

— Père, dit Vicky en lui prenant le bras, viens avec moi. Ne nous mêlons pas de cela.

Le regard de Richard rencontra le sien, et elle y lut une expression étrange.

— Je viens d'avoir une longue conversation avec votre père, Vicky. Quand vous l'aurez écouté, vous changerez d'avis à mon sujet, je l'espère.

Sa voix était douce, tout à coup, presque tendre. Il ne voyait plus qu'elle, et avait complètement oublié la présence de deux autres personnes dans la pièce. Il ajouta :

— Je n'ai pas tenu ma promesse, j'en ai peur. Mais je ne suis pas le seul responsable ; il a longuement insisté, et j'ai été obligé de lui avouer que vous vouliez di...

Il jeta alors un regard sur sa belle-mère, affalée sur les coussins, une cigarette aux lèvres.

— Parlez-lui, Wallace, pendant que je règle mes affaires. Et si vous n'avez pas fini, je prendrai votre place.

Vicky était émue. Dans son esprit confus prenait forme, peu à peu, une certitude nouvelle, bouleversante : quelles qu'aient été les raisons de Richard de l'épouser, il avait aussi agi par amour.

— Oui, Richard, dit-elle d'une voix étranglée. Vous... Vous finirez de m'expliquer...

En dix minutes, Vicky eut les réponses à toutes les questions qui l'avaient tant tourmentée. Son père l'emmena dans la bibliothèque. Là, il lui raconta son projet de la marier à Richard quand il avait commencé à se sentir malade. Il voulait alors absolument la savoir établie le plus rapidement possible. Il avait rencontré Richard en se promenant, et ils avaient lié connaissance, et bavardé. Ainsi, il avait appris l'état désastreux des finances de son voisin, résultat de la passion de son père pour le jeu, et des dépenses inconsidérées de sa belle-mère. Richard était terriblement inquiet. Wallace lui avait laissé entendre, par des allusions habiles et prudentes, qu'il était en mesure de l'aider, et qu'il le ferait volontiers. Le jeune homme avait d'abord ignoré ces propos et n'avait pas relevé. Mais l'idée de perdre sa maison le rendait très malheureux, et il avait peu après envisagé la possibilité d'une aide éventuelle. A la longue, Wallace dévoila à Richard l'amour que Vicky lui portait. Lui-même se confia à Richard : il désirait ardemment voir sa fille installée, se croyant atteint d'une grave maladie de cœur.

— Richard l'a donc su depuis le début ? interrompit Vicky. Tu le lui avais dit, sans jamais m'en parler ?

— Nous avons déjà abordé ce sujet ; je n'aurais rien gagné à t'inquiéter avec mes histoires de santé.

— Mais s'il t'était arrivé quelque chose, imagine le choc que j'aurais eu, le gronda-t-elle. En fait, Richard m'y préparait, le jour où il m'a parlé de ta pâleur.

Wallace approuva. En effet, Richard trouvait injuste de ne pas avertir Vicky de l'état de santé de son père, et des risques qui le menaçaient, lui apprit-il. Et il continua son histoire.

Il était ennuyé de ne pas connaître exactement la nature des sentiments de son futur beau-fils à l'égard de Louisa. La rumeur concernant leurs fiançailles n'était pas sans fondement, et il avait raison de le croire. Richard le lui avait confirmé, il aimait Louisa. Détournant le regard pour éviter celui de sa fille, Wallace ajouta :

— Je n'ai jamais douté un seul instant que l'homme qui épouserait ma fille chérie ne pouvait manquer de tomber très vite amoureux d'elle. Tu vois, mon trésor, je n'accordais pas ta main de sang-froid à un homme qui ne t'aimerait jamais. Je n'étais pas cynique et insensible au point de penser seulement à assouvir mon ambition.

Vicky garda le silence. Elle attendait impatiemment la fin de cette histoire tellement essentielle pour elle. Elle en avait maintenant deviné les principaux épisodes, évidemment; elle les envisageait sous un jour nouveau.

Richard finit donc par accepter l'aide de Wallace, mais seulement à condition de lui offrir des terrains en gage de sécurité.

— Mais je brûle des étapes, se reprit-il en réfléchissant. Richard t'avait rencontrée, tu lui avais plu. En réalité, il fut enchanté le jour où je lui téléphonai pour l'inviter à dîner. A partir de ce soir-là, il te fit une cour assidue. Les choses se déroulèrent comme prévu. Tu rayonnais de bonheur, et ton vieux papa se réjouissait de voir se confondre son rêve et la réalité. Richard ne m'en avait rien dit, mais je me suis aperçu qu'il t'aimait et qu'il faisait un mariage d'amour. Cependant, il se sentait coupable. Envers Louisa d'abord : elle dut subir une opération chirurgicale, et d'après son père, elle ne s'en remettait pas et perdait peu à peu le goût de vivre. Sa rupture avec Richard l'avait sérieusement ébranlée. Richard se jugeait aussi fautif envers toi : « Si elle venait à apprendre la vérité, — me dit-il un jour — je serais incapable de la regarder en face et de mentir. »

— Tu veux dire : il se sentait obligé d'admettre qu'il m'avait épousée pour mon argent ?

Vicky était furieuse contre son mari, à présent.

— C'est exactement ce qui s'est passé quand j'ai abordé le...

Elle s'arrêta, se pencha un peu pour regarder son père droit dans les yeux.

— Mais il a dû te raconter tout cela en détail ?

— Et comment ! Je me suis montré très énergique et inflexible, comme je sais l'être quand je veux quelque chose ! Dites-moi tout, lui ai-je dit, ou je vais chercher ma fille !

Elle ne put s'empêcher de rire, malgré sa colère. Comment Richard avait-il pu se charger d'autant de reproches, au point de ne même pas essayer de se défendre ? Le sentiment de culpabilité, lui expliqua son père, était très accentué chez Richard, parce qu'il était un homme d'honneur : il n'avait jamais enfreint ses principes moraux.

— Pourtant, il n'avait pas agi bassement. Il t'avait bien épousée par amour. Je n'ai pas manqué de le lui faire remarquer. Mais il refusait de l'admettre.

— C'est ridicule !

— Ma chérie, ton mari ne s'en soucie guère. Il est tellement arrogant ! On ne sait jamais comment il peut réagir ! Je m'en suis aperçu quand j'ai offert de l'aider une deuxième fois, puisque de toute évidence la première n'avait pas suffi.

— Selon lui, vous jetez votre argent par les fenêtres.

Vicky, songeuse, exprimait tout haut ses pensées.

— Il me l'a dit aussi ! Mais enfin, quelle importance si cet argent reste dans la famille ? Il n'a jamais voulu entendre raison !

— Alors pour une fois tu as été forcé de t'avouer vaincu ? dit Vicky avec une pointe d'ironie. Tu as dû lui en vouloir pendant un bon moment !

Wallace ne releva pas et se remit à parler de Louisa. Elle avait demandé à Richard de lui rendre visite à l'hôpital, et il avait accepté, sincèrement convaincu qu'elle allait très mal et se laissait plus ou moins dépérir.

— Voilà, il y allait le soir...

— Quand t'en a-t-il parlé ? voulut savoir Vicky.

— A l'instant. Nous avons discuté en toute franchise, je te prie de le croire ! La situation entre vous n'était pas brillante, je l'avais remarqué, et j'avais bien l'intention d'aller au fond des choses. Pour en revenir à Louisa, cette fille se moquait de Richard. Elle n'était pas si malade. Elle ne l'était même pas du tout ! Tu as pu t'en rendre compte le jour du championnat !

— Richard est allé lui parler, murmura Vicky en fronçant les sourcils.

— Il était hors de lui : tu n'avais d'yeux que pour ce Bailey ! Il s'est vengé en allant bavarder avec elle, et c'est bien fait pour toi !

Vicky se mordit la lèvre. Elle s'était donné beaucoup de mal pour convaincre Richard d'une soi-disant aventure entre elle et John.

— Oui, soupira-t-elle d'un air coupable. C'était bien fait pour moi. Je ne méritais pas mieux.

— Quand Richard m'a parlé de divorce... je n'ai jamais pu le croire. Malgré toute ma tendresse pour toi, Vicky, je lui ai conseillé de te donner une bonne fessée si tu recommençais à émettre des idées aussi stupides !

Elle rougit vivement, et Richard fit son apparition à ce moment-là. Son visage était tendu, mais ses yeux reflétaient un certain soulagement.

— Comment cela s'est-il passé, mon garçon ?

Wallace se leva du canapé et se dirigea vers la fenêtre.

— Quelle peste, cette femme ! Dans le genre, on ne fait pas mieux, ajouta-t-il.

Richard ne quittait pas des yeux le visage empourpré de Vicky.

— Il faut vendre le manoir, annonça-t-il.

— Vraiment ? répondit Wallace d'un ton détaché. Eh bien, nous nous y attendions un peu, n'est-ce pas ?

Contre toute attente, la nouvelle sembla le réjouir au plus haut point.

— Pourriez-vous réunir assez d'argent pour vous débarrasser de cette femme ? Vous êtes sous les hypothèques jusqu'au cou, non ?

Richard acquiesça, et vint s'adosser à la cheminée.

— Vous avez tout raconté à Vicky ?

— J'ai dû en oublier. Vous allez combler les lacunes... Mais pour l'instant, si j'étais à votre place, je ne perdrais pas mon temps à des vétilles, dit-il en se dirigeant vers la porte. Vous avez certainement des choses très importantes à vous dire.

Il tourna la poignée.

— En tout cas, puisque le manoir et le domaine tout entier vont disparaître, vous allez vous rallier à mes positions ? Et me succéder à la tête de mes affaires ? Du moins je l'espère. Pensez-y encore. Oh, je sais, les aristocrates répugnent à se salir les mains et à gagner leur vie en faisant du commerce ! Mais les temps changent, mon cher. Ces conceptions sont dépassées ! Voulez-vous devenir directeur général de la société Fraser ? Si vous refusez, je liquide l'affaire et on n'en parle plus, je vous avertis.

— Ce serait vraiment dommage, déclara Richard. Abandonner une pareille entreprise après tant d'efforts !

— Je ne vous le fais pas dire ! Vous êtes donc d'accord ?

Wallace le fixa pendant un long moment, et éclata de rire.

— Je le savais ! Quand je veux quelque chose, je parviens toujours à mes fins !

Il jeta à sa fille un regard triomphant.

— J'ai eu du mal, parce qu'il est têtu, mais j'y suis arrivé ! Il prétendait ne pas vouloir s'endetter davantage envers moi, et il n'en démordait pas !

— Pourtant, objecta Vicky, tu y comptais fermement : tu te préparais à passer les rênes à quelqu'un de plus jeune et énergique. Ce sont tes propres termes, je m'en souviens très bien.

Wallace fut pris de court, mais il se ressaisit très vite :

— C'était un désir cher à mon cœur, admit-il. Je

voulais donner à Richard la succession de mes affaires. Il m'a résisté longtemps, mais il a fini par céder !

Il sortit sans attendre de réponse, et les laissa seuls.

— Il est incorrigible ! dit Vicky pour meubler le silence.

Elle se sentait terriblement timide, tout à coup, et coupable en même temps. Par-dessus tout, elle était prise d'un désir éperdu de se retrouver dans les bras de Richard.

Il ne bougea pas d'où il était.

— Alors, commença-t-il, vous vous moquiez pas mal de John Bailey ?

Il semblait si sérieux. Vicky eut envie de pleurer, tellement elle était déçue.

— Vous le saviez bien.

Prise d'une indignation soudaine, elle lui lança :

— Pourquoi ne m'avez-vous pas dit que vous m'aimiez ?

— M'auriez-vous cru ?

Elle se mordit la lèvre.

— N... non, confessa-t-elle, je ne crois pas.

— Et Louisa m'importait peu. Je ne vous étais pas infidèle. Vous le savez maintenant ?

Sans un mot, elle hocha la tête.

— J'aurais dû vous faire confiance, dit-elle humblement.

— Et quand je passais des journées entières à l'extérieur, c'était pour voir mon avocat, ou pour étudier diverses propositions d'affaires. J'essayais désespérément, par tous les moyens possibles, de sauver ma maison et mes propriétés.

— Je suis désolée...

— Un jour, vous m'avez reproché d'employer ce mot. Vous m'avez dit...

— Je vous en prie, interrompit-elle, les yeux brouillés de larmes. J'aurais dû être plus observatrice, et me rendre compte que vous m'aimiez...

Il se tut pendant de longues minutes. Le dos à la cheminée, il regardait intensément la tête baissée de sa femme.

— Venez ici, lui commanda-t-il enfin.

Vicky obéit, en levant sur lui un regard craintif.

— Je... Je...

Elle ne put aller plus loin. Richard, abandonnant son attitude rude et insensible, lui releva tendrement le menton, et posa un baiser sur ses lèvres tremblantes.

— C'est fini, ma chérie.

Il poussa un soupir qui lui venait du fond du cœur.

— J'étais persuadé de vous avoir perdue, Vicky. Mon avenir sans vous m'apparaissait si sombre ! J'étais désespéré. Mais j'ai vraiment fait tout mon possible pour conserver le manoir, sachant combien vous et votre père y teniez : il était pour vous le symbole de la réussite. Je n'avais aucunement l'intention d'accepter encore de l'argent de Wallace. Comme je vous l'ai expliqué, je cherchais par n'importe quel moyen à m'en procurer par moi-même.

— Je n'ai jamais souhaité vivre dans un château, lui confia Vicky.

Elle était étonnée de la réaction de son père à la nouvelle de la vente ; elle en fit part à Richard.

— Il est trop heureux de me lancer dans les affaires ! lui rappela-t-il avec une grimace. Je gagnerai assez pour lui rembourser ce qu'il m'a prêté, j'en suis bien content.

— Pourquoi m'avoir caché qu'il s'agissait seulement d'un emprunt ? lançat-elle avec indignation. Vous vous êtes laissé accuser à tort !

— Dès le début, le procédé était contraire à mes principes. J'en suis venu très vite à me considérer comme le pire des coureurs de dot !

Vicky lui lança un regard accusateur.

— Mais puisque vous ne l'étiez pas ! En réalité,

vous étiez très attentionné. Vous vous occupiez de moi comme mon père le souhaitait.

Richard ne répondait pas. Alors Vicky continua à lui expliquer comment son sentiment de culpabilité avait eu des répercussions sur elle : elle ne se sentait pas vraiment à l'aise, tout en ignorant pourquoi. Et puis, elle souffrait d'un complexe d'infériorité. Tout cela lui avait donné à penser que Richard regrettait amèrement leur mariage.

— Il manquait quelque chose à notre bonheur, ajouta-t-elle en guise de conclusion.

Il était d'accord avec elle, mais comment auraient-ils pu éviter tous ces malentendus ?

— Tout de même, reprit Vicky après un long baiser passionné, pourquoi n'avez-vous pas tenté de vous justifier ?

— Je le souhaitais de toutes mes forces, mais paradoxalement, vos accusations renforçaient ma honte et ma culpabilité. Vous refusiez de m'écouter, et j'en étais presque content. Car ainsi, vous m'épargniez l'humiliation de chercher des excuses là où je ne pouvais pas en trouver.

Ce raisonnement paraissait à Vicky totalement dépourvu de logique. Elle ne fit cependant aucun commentaire. Un autre point restait à élucider : pourquoi Richard lui avait-il confessé qu'à l'époque de son mariage, il aimait encore Louisa ?

— Je n'ai jamais dit cela...

Il leva une main impérieuse afin d'empêcher Vicky de l'interrompre.

— Votre mémoire n'est pas très fidèle, ma chérie. Vous m'interrogiez sur une autre époque, bien antérieure : celle de la première proposition de votre père. Or, à cette époque-là, la situation était différente.

Il secoua la tête et la gronda gentiment :

— Je n'aurais jamais épousé une jeune fille en en aimant une autre, Vicky.

153

— Je suis désolée...

Elle ne trouva rien d'autre à dire, et garda la tête baissée.

— Je suis très vite tombé amoureux de vous, mon amour, confessa-t-il. Imaginez dans quelle dilemme inconfortable je me trouvais alors. Je connaissais les ambitions de votre père pour vous, je le savais malade du cœur. La seule décision raisonnable qui me venait à l'esprit était de vous épouser. En plus, — il m'en donnait l'assurance, — mes sentiments étaient partagés. D'autre part, en me mariant, je ne pouvais plus refuser son offre sans avouer ma ruine et me séparer du manoir. Mais alors, vous n'auriez plus connu auprès de moi, la vie dont votre père avait rêvé pour vous. Au contraire, j'aurais été incapable de continuer à vous offrir le luxe auquel vous étiez habituée. Vous rendez-vous compte, mon amour, de la cruauté de ce débat ?

Vicky comprenait. Si seulement elle avait pu se douter à quel point il avait souffert. Elle se souvint des nombreuses occasions où elle avait eu envie de le réconforter devant son air tellement malheureux...

— Vous auriez dû m'expliquer la situation, Richard, je le pense sincèrement. Il y a eu un affreux malentendu entre nous, nous ne nous sommes pas compris. J'ai mal interprété vos paroles.

— Mes tentatives se sont soldées par un échec. En plus, j'étais convaincu que notre mariage était une faillite complète, irrécupérable. Qu'aurais-je gagné à me lancer dans des explications longues et difficiles ? Votre décision était prise, cela n'aurait rien changé.

Il s'arrêta un instant, et un éclair de colère passa dans ses yeux.

— Vous me détestiez, disiez-vous, et vous m'avez laissé entendre que vous aimiez John Bailey.

Vicky, écarlate, baissa les yeux. Richard, un doigt sous son menton, lui releva aussitôt la tête. La lueur de rage brillait encore dans ses yeux.

— Rappelez-moi de vous donner une fessée pour ce mensonge. Wallace m'a déjà conseillé de le faire, et je commence à croire que j'aurais tort de ne pas suivre son avis.

— Où allons-nous vivre ? demanda vivement Vicky, les joues empourprées après cette menace.

Il la forçait à le regarder droit dans les yeux. Elle vit son expression se radoucir, et ses lèvres venir se poser tendrement sur les siennes, chassant sur-le-champ toute sa confusion.

— A vous de décider, mon amour, lui dit-il bientôt. Mais d'abord, je dois vous faire part d'une nouvelle qui vous transportera de joie. Wallace et Mme Basset ont décidé de tenter de vivre ensemble. Depuis leur veuvage respectif, ni l'un ni l'autre n'a pensé à refaire sa vie. Maintenant, visiblement, ils croient pouvoir s'aider mutuellement, et trouver un réconfort dans cette union. Nous aurons un mariage dans la famille avant la fin de l'été, j'en suis sûr.

Vicky rayonnait. Rien, en effet, n'aurait pu lui procurer un plus grand plaisir. Elle apprit aussi que Richard et Wallace avaient envisagé de construire une autre maison pour eux, tout près de celle de son père.

— Mais tout va être vendu, remarqua-t-elle.

— Non, rectifia-t-il. Je garde une assez grande étendue. Ainsi, la vue qu'a Wallace de ses fenêtres ne sera jamais gâchée. Le paysage restera superbe à cet endroit. Le conseil municipal de Bowlangton m'a fait pour le manoir une offre très intéressante : ils voudraient en faire une maison pour enfants déshérités, des orphelins pour la plupart, d'après ce que j'ai compris. Ils ne toucheront pas aux terrains, ni à la ferme, où les plus âgés pourront travailler. Quant aux autres fermes, elles seront vendues à leurs métayers. Il n'y aura, par conséquent, aucun terrain à bâtir disponible.

Il lui lança un regard interrogateur :

— Qu'en pensez-vous, Vicky ?

— C'est une idée merveilleuse, assura-t-elle, enthousiaste. Autant pour le manoir que pour ces enfants, pour nous, pour mon père... On ne peut rêver mieux !

— Content que cela vous plaise, mon amour.

Richard l'attira contre lui et elle s'abandonna à l'étreinte de ses bras puissants. Elle retrouvait l'ardeur de ses désirs, et s'y soumettait avec un plaisir évident.

— Ma bien-aimée, murmura-t-il au bout d'un moment, nous ferions mieux d'aller rejoindre nos invités, vous ne pensez pas ?

Elle eut un petit rire, bouleversée par l'intensité de ses propres émotions et la fougue des baisers de son mari.

— Oui, Richard chéri. Ils doivent nous attendre impatiemment, et mourir de faim, après tout ce temps !

Collection Harlequin

Les chefs-d'oeuvre du roman d'amour

Recevez chez vous 6 nouveaux livres chaque mois... et les 4 premiers sont GRATUITS!

Associez-vous avec toutes les femmes qui reçoivent chaque mois les romans Harlequin, sans avoir à sortir de chez elles, sans risquer de manquer un seul titre.

Des histoires d'amour écrites pour la femme d'aujourd'hui

C'est une magie toute spéciale qui se dégage de chaque roman Harlequin. Écrites par des femmes d'aujourd'hui pour les femmes d'aujourd'hui, ces aventures passionnées et passionnantes vous transporteront dans des pays proches ou lointains, vous feront rencontrer des gens qui osent dire "oui" à l'amour.

Que vous lisiez pour vous détendre ou par esprit d'aventure, vous serez chaque fois témoin et complice d'hommes et de femmes qui vivent pleinement leur destin.

Une offre irrésistible!

Ce que nous vous offrons est fort simple. Vous n'avez qu'à remplir et poster le coupon-réponse. Vous recevrez, *sans aucune obligation de votre part,* quatre romans Harlequin tout à fait *gratuits!*

Et nous vous enverrons chaque mois suivant six nouveaux romans d'amour, au bas prix de $1.75 chacun (soit $10.50 par mois), plus de légers frais de port et d'emballage.

Mais vous ne vous engagez à rien: vous pourrez annuler votre abonnement à tout moment, quel que soit le nombre de volumes que vous aurez achetés. Et, même si vous n'en achetez pas un seul, vous pourrez conserver vos 4 livres gratuits!

Vous avez donc tout à gagner, en profitant de cette offre de présentation au merveilleux monde de Harlequin.

Oui, 6 romans passionnants chaque mois...n'en manquez pas un seul!

En vous abonnant à la Collection Harlequin, vous êtes assurée de recevoir chaque mois six nouveaux titres inédits – et de vous constituer ainsi une précieuse bibliothèque de chefs-d'œuvre de la littérature romantique.

Vous passerez des moments agréables, en compagnie d'auteurs comme Violet Winspear, Roberta Leigh, Kay Thorpe, Margery Hilton et d'autres écrivains réputées, qui ont fait des romans Harlequin un succès sans précédent dans le domaine de l'édition.

Votre abonnement vous permet donc de recevoir tous les mois, à votre porte et sans que vous ayez à vous déranger, une précieuse source d'évasion en notre époque agitée.

6 des avantages de vous abonner à la Collection Harlequin

1. Vous recevez 6 nouveaux titres chaque mois. Vous ne risquez pas de manquer un seul des volumes de vos auteurs Harlequin préférés.

2. Vous ne payez que $1.75 chacun (soit $10.50 par mois), plus de légers frais de port et d'emballage.

3. Vous pouvez annuler votre abonnement à tout moment pour quelque raison que ce soit... ou même sans raison!

4. Vous n'avez pas à sortir de chez vous: de nouveaux volumes vous sont livrés par la poste chaque mois.

5. "Collection Harlequin" est synonyme de "chefs-d'œuvre du roman d'amour": vous ne risquez pas d'être déçue.

6. Les 4 premiers volumes sont tout à fait GRATUITS: ils sont à vous, même si vous n'achetez pas un seul volume de la collection!